Die Heirat
und andere Komödien

PETER USTINOV

Die Heirat und andere Komödien

Mit 15 Zeichnungen des Autors

Aus dem Englischen von
Claus H. Henneberg und Manfred Jansen

Weltbild

Genehmigte Lizenzausgabe für Verlagsgruppe Weltbild GmbH,
Steinerne Furt, 86167 Augsburg
Copyright © 2000 by Dunedin N. V.
Copyright © 2000 by Verlag Kiepenheuer & Witsch, Köln
Übersetzung: Claus H. Henneberg und Manfred Jansen
(Die Vorworte zu den Stücken hat Hermann Kusterer übersetzt)
Umschlaggestaltung: Grimm Design, Düsseldorf
Umschlagmotiv: Corbis
Gesamtherstellung: Oldenbourg Taschenbuch GmbH,
Hürderstraße 4, 85551 Kirchheim
ISBN 3-8289-7696-4

2008   2007   2006   2005
Die letzte Jahreszahl gibt die aktuelle Lizenzausgabe an.

Besuchen Sie uns im Internet:
www.weltbild.de

Inhalt

Die Heirat

von Peter Ustinov
unter Verwendung des Opernfragments
von Modest Mussorgskij
(nach der Komödie von Nikolai Gogol)
Deutsch von Claus H. Henneberg

„Die Heirat", wie der Titel aus Ehrfurcht vor Gogol und Mussorgski lauten muss (ich hätte das Stück lieber „Proben für eine Heirat" genannt), entstand auf Bitten der Mailänder Scala, die in einer Saison sämtliche Opernwerke Mussorgskis zur Aufführung bringen wollte. „Boris Godunow" war, abgesehen von der Frage, ob man die Oper in der Orchestrierung von Rimski-Korsakow oder von Schostakowitsch aufführen sollte, unproblematisch. Auch „Chowanschtschina" und „Der Jahrmarkt von Sorotschinzy" lagen zur Neuaufführung bereit. Sogar die frühe und wenig charakteristische „Salammbô" nach Flaubert wurde aufgeführt. Nur „Die Heirat" nach Gogols gleichnamiger Komödie in drei Akten erwies sich als schwer einzubauen. Zum einen war nur der erste Akt vertont, zum zweiten gab es nur eine Klavierpartitur. Die Scala fragte deshalb bei mir an, wie man das Werk in dieser Form einem zahlenden Publikum schmackhaft machen könne. Daraufhin entwarf ich ein Theaterstück, das gewissermaßen die Umrahmung der unfertigen Oper abgeben sollte.

Werfen wir für einen Moment den Blick zurück ins zaristische Russland. In irgendeinem armseligen, gottverlassenen Provinztheater probt die Truppe jahrelang den einzig vorhandenen Akt und hofft Tag um Tag wenigstens auf den nächsten. Der Komponist ist Alkoholiker, und seinen Beteuerungen ist nie recht zu trauen. Trotzdem setzt das Theater ein Premierendatum an, das selbst Pessimisten für durchaus machbar halten. Natürlich hat es sich verrechnet, und das Unvermeidliche geschieht: Das Publikum erscheint, und die Sänger sehen sich gezwungen, den einzig verfügbaren Akt mit bloßer Piano-obligato-Begleitung aufzuführen. Nachdem der Vorhang nach dem ersten Akt gefallen ist, wird dem Publikum (wie im Fortsetzungsroman dem Leser) mitgeteilt, wie es weitergehe, erfahre es demnächst.

Ich hielt dieses Vorwort für angebracht, damit es mir nicht noch einmal so ergeht wie kurz nach der Erstproduktion im Piccolo Teatro der Scala, bei der Aufführung auf dem Edinburgh Festival. Dort hatte man nämlich vergessen, auf den italienischen Ursprung meiner Bemühungen hinzuweisen, weshalb die Kritiker fest überzeugt waren, es handle sich um ein neues

Stück von mir, bei dem ich mich aus schierer Faulheit freizügig des Opernfragments bedient hätte, um den Abend zu füllen. Hinzu kam, dass die Zeitungen aufgrund dieses Missverständnisses nicht ihre Musik-, sondern ihre Theaterkritiker entsandten. So kann, was in Italien ein deliziöser Erfolg war, im kühleren Klima des Nordens im Handumdrehen ranzig werden.

Personen:

Im Vor- und Nachspiel:
SWETSCHINIKOW, Inspizient
DAS MÄDCHEN
DROSDOW
JEROFEJEW
RIMSKIJ-KORSAKOW
MOKROWSKIJ
RUDINA
PROFESSOR SCHPANKO
MADAME SCHPANKO
EIN FUNKTIONÄR

In der Oper:
PODKOLESSIN
STEFAN
KOTSCHKAREW
FJOKLA

1. Szene

*Die Bühne ist leer. Die Grundrisse eines
Zimmers sind auf den Boden wie zu einer
Probe markiert. Dekorationen anderer
Opern sind übereinander an die Wände ge-
lehnt, einige sind erkennbar, andere, mit
der Kehrseite zum Publikum, zeigen nur
durch die Beschriftung dem Betrachter, dass
sie zu »Trovatore«, »Lucia di Lammer-
moor«, »Entführung«, »Barbier von Sevilla«
etc. gehören. Ein Flügel. Über der Büh-
nentür in Russisch »Ausgang«. Eine dumpfe
Glocke schlägt zwölf, währenddessen erscheint der Inspizient, blickt auf seine Uhr
und stellt sie.*

INSPIZIENT: *(nachdem die Glocke zu schlagen aufgehört hat. Er spricht mit sich
selbst – das Publikum sieht er nicht.)*
Das ist Russland. Das heilige Russland.
In anderen Ländern gibt es sicher auch
vereinzelt Sänger, die zu spät kommen –
aber bei uns sind es keine Einzelfälle,
sondern die Regel. Erst fingen wir die

15

Proben um zehn an. Sie kamen alle zu
spät. Um ihnen entgegenzukommen,
sollte es dann um elf losgehn. Nach einer
Woche kamen sie wieder alle zu spät.
Wir versuchten es mit mittags. Man sehe
sich das Ergebnis an.
*(Er stellt einige Möbel an ihren Platz auf
die Markierungen auf dem Fußboden, ein
Sofa, Stühle.)*
Was für ein Land! Wir haben es dahin
gebracht, dass wir aus purer Einsamkeit
mit uns selber reden. Den größten Teil
des Tages rede ich mit mir selbst, aus
dem reinen Bedürfnis heraus, eine
menschliche Stimme zu hören. Da kann
es nicht verwunderlich sein, dass ich
meiner Frau nichts mehr zu sagen habe,
wenn ich nachts nach Hause komme.
Nun droht sie mir mit Scheidung. Sie ist
eifersüchtig – nicht auf mich, sondern
auf mein Ich, mit dem ich mich unter-
halte.
*(Das Mädchen betritt durch die Tür im
Hintergrund die Bühne. Sie schüttelt den
Schnee ab.)*
INSPIZIENT: Ist das nicht wieder typisch?
Die einzige, die pünktlich kommt, ist

die, die noch nicht einmal eine Rolle hat, die nur hofft, eine zu bekommen, durch Vorsprechen oder indem sie den Beamten der Intendanz entgegenkommt auf die einzige Art, die sie kennt.

MÄDCHEN: Es gibt gar keinen Grund, beleidigend zu werden, nur weil ich noch nicht so heruntergekommen bin, Sie umschmeicheln zu müssen.

INSPIZIENT: So weit bin ich auch noch nicht heruntergekommen.

MÄDCHEN: Ist die neue Szene schon da?

INSPIZIENT: Es ist seit Wochen keine Post mehr gekommen.

MÄDCHEN: Herr Drosdow hat mir gesagt, ich wäre ein wenig zu jung für die Rolle. Jeder Tag bringt mich dem richtigen Alter näher.

INSPIZIENT: Da die Rolle bisher noch gar nicht geschrieben worden ist, kann ich mir nicht vorstellen, wie Sie dafür zu jung sein sollten.

MÄDCHEN: Herr Mussorgskij hat Herrn Drosdow versichert, dass sie geschrieben wird.

INSPIZIENT: Herr Mussorgskij hat die vollendete Oper für Januar – vor sechs Jah-

ren versprochen. Nur so viel zu Herrn Mussorgskijs Versprechungen.

MÄDCHEN: Ich glaube an Herrn Mussorgskij. *(eindringlich)* Ich muss an ihn glauben. *(Pause)* Haben Sie das Stück gelesen?

INSPIZIENT: Welches Stück? Stehen Sie da nicht herum. Sie sind mir im Wege.

MÄDCHEN: Wo darf ich denn stehen?

INSPIZIENT: Sie sind mir überall im Wege.

MÄDCHEN: *(setzt sich)* Das Stück von Gogol.

INSPIZIENT: Welches Stück von Gogol?

MÄDCHEN: Die Heirat ...

INSPIZIENT: Die Heirat – von Gogol?

MÄDCHEN: ... auf dem die Oper basiert. Meine Rolle – zumindest die Rolle, derentwegen ich dauernd vorsingen komme – könnte sehr wohl für mich geschrieben worden sein. Sie ist jung, attraktiv und schön, alles in einem und entspricht genau meinen Möglichkeiten. *(Pause)* Glauben Sie an Zufälle?

INSPIZIENT: Ich bin orthodoxer Christ, wie die meisten Leute mit eigenen Ansichten.

MÄDCHEN: Es ist meines Erachtens ein

außergewöhnlicher Zufall, dass Herr Gogol eine Rolle geschrieben hat, die so genau mit meinen Fähigkeiten übereinstimmt, und dennoch sind er und ich uns nie begegnet.

INSPIZIENT: Herr Gogol starb vor fünfzehn Jahren.

MÄDCHEN: *(träumerisch)* Das macht den Zufall noch ungewöhnlicher. *(Drosdow tritt ein. Er schüttelt sich den Schnee von den Kleidern.)*

INSPIZIENT: Ich brauche gar nicht erst zu erwähnen, dass Sie zu spät kommen.

DROSDOW: Wo sind die anderen?

INSPIZIENT: Auch zu spät dran.

DROSDOW: Verglichen mit denen bin ich also früh dran. Außerdem habe ich eine Entschuldigung. Ich hatte gestern abend einen sehr erschöpfenden stummen Auftritt in »Don Carlos«, vor leerem Haus, das seine übliche Begeisterung für meine Arbeit bekundete. Hallo, Kleine, immer noch guter Hoffnung?

MÄDCHEN: Ich bin überzeugt, dass ich die Rolle noch bekomme, Herr Drosdow.

DROSDOW: Eine Beruhigung für Sie. Hoffnung ist eine wunderbare Sache. Man

21

lebt in ihr wie gebadet. Ich, der ich meine
Rolle schon habe, lebe gänzlich ohne sie.
Warum sollte ein Mann mit dem Ruf und
der Begabung eines zweiten Casanovas
für die Rolle eines schwächlichen, faulen
und entschlusslosen Kerls bestimmt sein,
der seine Zeit allein auf dem Sofa herum-
lotternd verbringt? Ich habe nichts gegen
ein Sofa. Was mich so ungewöhnlich
mürrisch macht – dass ich allein drauf-
liege. Sie hätten Ladyschkin mit der Rolle
besetzen sollen.

MÄDCHEN: Ladyschkin ist ein Tenor.

DROSDOW: Was macht das für einen Unterschied bei einer modernen Oper! Küssen
Sie mich.

MÄDCHEN: Nein.

DROSDOW: Nach sechs Jahren Probe immer noch die Unberührbare? Erinnere
dich an den Spaß, den wir vor fünf Jahren miteinander hatten.

MÄDCHEN: Damals warst du jünger.

DROSDOW: Du auch.

MÄDCHEN: Flegel!

*(Drosdow legt sich aufs Sofa und zündet
seine Pfeife an. Jerofejew tritt ein. Groß
und blass.)*

22

INSPIZIENT: Jerofejew, Sie haben die anderen noch übertroffen. Sie kommen mehr als zwei Tage zu spät zur Probe.

JEROFEJEW: Sie sagten Mittwoch.

INSPIZIENT: Sicher. Heute ist Freitag.

JEROFEJEW: Ausgeschlossen.

DROSDOW: Freitag, der Dreizehnte.

JEROFEJEW: *(an den Fingern abzählend)* Ist heute nicht Donnerstag?

INSPIZIENT: Freitag.

JEROFEJEW: Vergebung, Kollegen!

INSPIZIENT: Ah, wenigstens ein Mann von Erziehung. Er bietet keine albernen Entschuldigungen an. Er ist nicht zu stolz, um sich zu entschuldigen.

DROSDOW: Er hat das Entschuldigen zu seinem Beruf gemacht.

JEROFEJEW: Es tut mir Leid, dass Sie so denken. Zugegebenermaßen singe ich nur in der Kirche, bei Hochzeiten und Beerdigungen, und ich habe die schwindelnden Höhen eines stummen Auftritts in »Don Carlos« nicht erreicht, aber auch ich habe meine Würde.

DROSDOW: Sie sind bewundernswert besetzt mit der Rolle eines zurückgebliebenen Dieners.

JEROFEJEW: Endlich kommen doch, wenn auch widerwillig, einige schmeichelnde Worte von Ihren Lippen. Ich trinke darauf. *(Er zieht eine Taschenflasche hervor und trinkt.)*

DROSDOW: Teilen Sie Ihren Wodka nie mit Kollegen?

JEROFEJEW: Leider ist die Flasche leer. Ich stelle gerne fest, ob die Menschen neidisch sind. *(Er dreht die Flasche um. Nichts fließt heraus.)* Abgesehen davon kann ich mir keinen Wodka erlauben. Die Gebärde des Trinkens erinnert mich nur daran, wie das Leben vor sechs Jahren war, bevor wir regelmäßig Probengeld bekamen. Als wir jung und verrückt waren.

(Ein großer, dünner Mann in Marineuniform betritt die Bühne. Er ist mit Schnee bedeckt. Alle erheben sich und verbeugen sich servil. Das Mädchen macht einen Knicks.)

INSPIZIENT: Welchem Umstand verdanken wir die Ehre, Herr Admiral? Darf ich mich vorstellen, Epaminond Pantaleimowitsch Swetschinikow, Inspizient der dritten Klasse.

RIMSKIJ: Ich bin kein Admiral, ich bin Nikolai Rimskij-Korsakow, Generalinspekteur der Musik, kaiserliche Marine.

INSPIZIENT: Das ist bei weitem mehr als ein Admiral, Hoheit.

DROSDOW: Darf ich mich vorstellen, Hoheit. Ignatij Ignatiewitsch Drosdow, Kammersänger der vierten Klasse, beinahe der dritten. Ich habe »Fürst Igor« sehr bewundert.

RIMSKIJ: Borodin wird geschmeichelt sein. Ich wollte nur fragen, ob noch mehr vom Manuskript eingetroffen ist. Ich bin auf einer zehnmonatigen Kreuzfahrt nach Japan unterwegs gewesen, die elf Monate gedauert hat, weil die Flotte vom Kurs abkam.

JEROFEJEW: Der Ozean ist sehr weitläufig.

RIMSKIJ: Wieso?

JEROFEJEW: Es gibt tausend Möglichkeiten, vom Kurs abzukommen. Es gibt nur eine, es nicht zu tun.

(Rimskij starrt ihn bloß an.)

JEROFEJEW: Jerofejew, Michail Konstantinowitsch, akkreditierter Bass, bisher noch klassenlos.

RIMSKIJ: Die Tatsache, dass die Flotte vom

Kurs abkam, hatte ich glücklicherweise nicht zu verantworten. Aber es hatte zur Folge, dass ich die Verbindung zum Kulturleben unserer großen Nation für eine gewisse Zeit verlor. Hat Mussorgskij in meiner Abwesenheit irgendeinen Fortschritt gemacht?

INSPIZIENT: Nicht eine Seite, nicht eine Note innerhalb der letzten sechs Jahre.

RIMSKIJ: *(traurig)* Russland ist wie ein Elefant. Die Schwangerschaft dauert hier länger als anderswo.

DROSDOW: Besser ein Elefant als ein Kaninchen, Hoheit.

RIMSKIJ: Ja, wir finden immer so einen Spruch, der wie ein Sprichwort klingt, als Rechtfertigung für unsere Faulheit, und wir werden darum für weise gehalten. Mussorgskij ist ein typischer Russe, mein Freund. Er ist ein unumstrittenes Genie.

DROSDOW: Niemand zweifelt daran.

RIMSKIJ: Dennoch aber ist sein Geist ein hoffnungsloses Durcheinander, wie eine Junggesellenbude. Er fängt einfach nicht mit der Instrumentation an. Er kann nicht einmal eine Fuge schreiben, geschweige denn einen Kanon. Er hat keine Methode. Er sitzt nur in seiner erbärmlichen Bude herum und wartet auf die Inspiration. Die Noten sind über die Seiten wie schmutzige Socken und andere Kleidungsstücke verstreut.

INSPIZIENT: Ja, seine Hoheit sind das ganze Gegenteil davon.

RIMSKIJ: *(melancholisch)* Zugegeben. Und ich bin ebenso typisch russisch. Ich schreibe Fugen, damit die Tage verstreichen, so wie andere Kreuzworträtsel lösen. Auf meiner letzten Kreuzfahrt habe ich einhundertfünfzig bis zweihundert Fugen geschrieben – ich kann mich an die genaue Zahl gar nicht erinnern –, je nach der Witterung auf dem Meer. Ich warte nie auf die Inspiration, weil ich ihr nicht traue. Schlimmer, ich bemerke sie gar nicht. Wenn mir Zweifel kommen, erfinde ich eine orientalische Melodie. Die orientalischen Tonarten scheinen eine Frische zu vermitteln, die sie im Grunde gar nicht besitzen. Oder eine spanische Melodie. Spanien ist die Rettung für alle Komponisten, die nicht allzu viel zu sagen haben. Ich schreibe

Musik von enervierender Kunstfertig-
keit. Und ich habe die magische Gabe
der Verschleierung, die man Instrumentation nennt. Ich bin so gründlich wie
ein Deutscher und so brillant wie ein
Franzose. Und ich wäre lieber Mussorgskij.

DROSDOW: Sie hätten diese Oper schon vor
Jahren beendet und wären zu anderen
Arbeiten übergegangen, Hoheit.

RIMSKIJ: Und sie wäre bedeutungslos.
Nun, meine Freunde, da es nichts zu
instrumentieren gibt, gibt es keinen
Grund mehr für mein Hiersein. Wie Sie,
werde ich mich gedulden müssen. *(In
der Tür)* Sie können mich stets in der
Administration der Kaiserlichen Marine-
Musik in der Admiralität von St. Petersburg finden. Wenn ich nicht sofort zu
erreichen bin, bedeutet das, dass ich zur
See bin. Bitte sagen Sie Mussorgskij, in
dem unwahrscheinlichen Fall, dass er je
auftauchen sollte, nichts von meinem
Besuch. Und ich bin auch immer noch
keine Hoheit, nicht einmal eine ganz ge-
wöhnliche Exzellenz, wie so viele andere. Ich lasse mich von Ihnen nur so

hochgestochen anreden, weil ich es als Russe ungeheuer genieße, so großzügig tituliert zu werden.

MÄDCHEN: Darf ich Eure Hoheit einen Augenblick sprechen?

(Die anderen drücken ihren Unmut aus.)

RIMSKIJ: Meine Frau wartet unten im Schlitten. Vielleicht wollen Sie uns begleiten?

(Das Mädchen bewegt sich nicht. Rimskij geht.)

DROSDOW: Warum hat er gesagt, Borodin wäre geschmeichelt?

INSPIZIENT: Weil es Borodin war, der »Sadko« geschrieben hat, Idiot!

DROSDOW: Ich weiß, dass Borodin »Sadko« geschrieben hat, Dummkopf! Ich sprach von »Fürst Igor«.

INSPIZIENT: Dann weiß ich auch nicht, warum er das gesagt hat. Er muss irgendwas verwechselt haben.

(Mokrowskij stürzt herein.)

MOKROWSKIJ: He, war das Rimskij-Korsakow, den ich in den Schlitten steigen sah?

MÄDCHEN: Ja, er war mit seiner Frau da.

MOKROWSKIJ: Nein, er war allein.

INSPIZIENT: Sie hatten nicht mehr die
Ehre, ihn hier zu treffen; ich muss Ihnen
wohl nicht erst sagen, warum.

MOKROWSKIJ: Nach sechs Jahren beginnt
man schlampig zu werden. Das ist nur
menschlich.

*(Er läuft zu dem Mädchen hin und küsst
sie auf den Mund.)*

MOKROWSKIJ: Du bist der einzige Grund,
warum ich überhaupt noch herkomme.
Wollen wir anfangen?

INSPIZIENT: Es fehlen immer noch die Rudina und irgendwer anderer . . . oh, ja,
der Korrepetitor.

MOKROWSKIJ: Ich lief auf dem Weg vom
Bahnhof an der Rudina vorbei. Sie wird
gleich hier sein. Es liegen nahezu zwei
Meter Schnee. Wenn man auf die andere
Straßenseite sieht, laufen nur Hüte auf
den Schneeverwehungen entlang.

*(Die Rudina tritt auf. Brummig, voller
Schnee.)*

RUDINA: Sie haben keine Manieren, Mokrowskij. An mir vorbeizulaufen, mich
mit Matsch zu bespritzen – keine Um-
gangsformen, nicht einmal zu einem
guten Morgen reicht es.

MOKROWSKIJ: Guten Morgen, liebste Jelena Iliewna.

RUDINA: Zu spät! Ich bin froh, dass wir in dieser Oper Gegner sind. Es macht die Arbeit leichter, selbst wenn es das Leben widerwärtig macht. Wo ich jetzt da bin, lassen Sie uns auch anfangen. Worauf warten wir?

DROSDOW: Professor Schpanko.

MOKROWSKIJ: Professor und Madame Schpanko.

MÄDCHEN: Ich wünschte, die Ziege bliebe zu Hause.

INSPIZIENT: Sie wollen doch den Professor nicht auch noch in Ihre Sammlung aufnehmen?

MÄDCHEN: Für Sie mag alles gut und schön sein. Sie sind keine Frau. Sie fühlen die Eifersucht nicht, die durch die bloße Gegenwart einer Frau hervorgerufen wird.

RUDINA: Ich fühle sie. Ich kann kaum eine richtige Note singen, wenn die Dame auch nur eine Seite umblättert.

INSPIZIENT: Niemand wird bei Mussorgskij eine falsche Note hören. Nur bei Verdi fangen sie zu buhen an.

(Jerofejew trinkt.)

MOKROWSKIJ: Was, Sie teilen nicht einmal den Wodka mit uns?

(Jerofejew dreht die Flasche um, er lacht albern. Professor und Madame Schpanko erscheinen.)

PROFESSOR: Ich sagte dir, dass wir zu spät kommen würden. Ich sagte dir, wir wären die Letzten.

MADAME: Und ich sage dir, dass du den Mund halten sollst. Sie können ohne dich nicht anfangen, und wenn ich mich entschlossen habe, mit dir zu streiten, dann müssen sie eben warten.

INSPIZIENT: Auf eine Entschuldigung zu hoffen, wäre natürlich wohl zu viel erwartet.

PROFESSOR: Ich entschuldige mich zutiefst und reumütig. Meine Frau …

MADAME: Sprich für dich selber. Er wollte von zu Hause ohne seine Fausthandschuhe losgehn. Ohne sie kann er nicht spielen, nicht bei diesem Wetter. Ich verlangte, dass er sie findet – oh, dieser Mantel ist pitschnass … *(Sie wirft ihn nachlässig Drosdow zu.)* Er ist, auf seine Art, wütend. Und unter meiner Leitung suchte er nach ihnen, oben und

34

unten. Schließlich findet er sie! Wo? In seiner Tasche, wo er zuletzt gesucht hat.

PROFESSOR: Du machst mich nervös.

MADAME: Ich halte dich auch am Leben. Unterwäsche passend zur Jahreszeit, Ohrenschützer, Fausthandschuhe, Medizin. Wenn ich nicht wäre, du wärest längst eine Leiche und viel weniger streitsüchtig. Halt den Mund!

PROFESSOR: *(hysterisch)* Ich habe gar nichts gesagt.

MADAME: Du warst eben im Begriff etwas zu sagen. Leugne es, wenn du es wagst.

PROFESSOR: Ich hätte vielleicht etwas gesagt, zugegeben. Ich hoffe immer, etwas sagen zu können.

MADAME: Siehst du, ich hatte Recht.

PROFESSOR: In etwa einer Stunde, gegen Ende der Probe, würde ich etwas gesagt haben. Vorher nicht.

MADAME: Warum nicht vorher?

PROFESSOR: Weil es dazu nicht so viele Möglichkeiten gibt.

MADAME: *(wütend)* Was tust du denn jetzt, wenn nicht reden?

PROFESSOR: Du gabst mir dazu in überaus

freundlicher Weise die Möglichkeit, was nicht sehr häufig geschieht.

MADAME: Warum lügst du? *(zu den anderen)* Es ist der ruchlose Einfluss dieser Oper. Sechs Jahre Arbeit an diesem Zynismus über die Heirat, der allerherrlichsten und heiligsten Einrichtung. Das hat Oleg Nikiforowitschs Seele zerfressen. Als er mir noch den Hof machte, da war er ganz Aufmerksamkeit und sprach nur Französisch. Ich konnte damals noch nicht gut genug Französisch, um zu erkennen, dass er es gar nicht sprechen konnte, sondern nur so tat als ob. Schon der Anfang war Lüge.

PROFESSOR: *(wieder hysterisch)* Man Francais est toujours beaucoup excellent.

MADAME: *(sich die Ohren zuhaltend)* S'il vous plait!

PROFESSOR: Plus mieux! Plus mieux! Dir den Hof machen! Ich habe dich durch einen Heiratsvermittler gefunden, genau wie in dieser Oper hier. Jedesmal, wenn wir proben, stößt mich Mussorgskij mit der Nase auf mein Elend.

MADAME: Willst du etwa leugnen, dass du

mich geliebt hast? Du hast es mir damals
gesagt.

PROFESSOR: Ich mag gesagt haben: »Je
vous amour.« Das ist sehr wohl möglich.
Aber die Franzosen meinen nie, was sie
unter solchen Umständen sagen.

MADAME: *(zu den anderen)* Sehen Sie! *(sieht
das Mädchen)* Was tut diese Frau da?

RUDINA: Welche Frau?

MADAME: Sie meine ich nicht. Sie gehören
zur Besetzung. Die angepinselte Person
da.

INSPIZIENT: Sie hat ein volles Recht hier zu
sein. Sie steht unter meiner Protektion.

MADAME: Das ist mir neu. Sie stand prak-
tisch schon unter jedermanns Protektion. Nun steht sie unter Ihrer?

INSPIZIENT: *(zu dem Mädchen)* Geh in den
Zuschauerraum.

MADAME: Ich kann nicht umblättern, wenn
sie in der Nähe ist.

PROFESSOR: Ich kann selbst umblättern.

MADAME: Oleg, ich warne dich!

INSPIZIENT: *(zu dem Mädchen)* Tu, was ich
sage. Alles in Ordnung? Ab Vorhang,
erster Akt. Jeder in seine Position. Los
Drosdow!

DROSDOW: Ich bin genau auf meinem
Platz, wenn Sie mal hinsehen möchten.
(Das Mädchen tritt vor, sieht das Publikum. Während die anderen auf ihre Plätze gehen, läuft sie erschreckt zum Inspizienten zurück und flüstert in sein Ohr.)
INSPIZIENT: Wie? Machen Sie einen
Witz? ...
(Er gibt sich Mühe, das Publikum auszumachen.)
DROSDOW: Was ist jetzt denn wieder los?
Können wir nicht endlich anfangen, damit wir diese verdammte Sache bald hinter uns haben?
INSPIZIENT: Verdammter Mussorgskij!
(sotto voce) Erinnern Sie sich? *(Die anderen stellen sich um ihn herum.)* Vor
anderthalb Jahren glaubten wir sicher,
die Premiere einer neuen Oper in drei
Akten von Modest Mussorgskij für den
heutigen Tag ankündigen zu können.
(Die anderen nicken.) Mist! Und genau
das haben wir vergessen. Die Plakate
dafür haben die ganze Zeit draußen am
Theater gehangen. Niemand hat daran
gedacht, sie abzunehmen.

DROSDOW: Ja, und?

INSPIZIENT: Das Publikum!

ALLE: Wieso Publikum?

INSPIZIENT: Ich zeig's euch.

(Er macht den Zuschauerraum hell. Dem Ensemble stockt vor Schreck der Atem. Der Inspizient tritt vor.)

INSPIZIENT: Exzellenzen, Eminenzen, Erlauchte, Hoheiten, königliche und kaiserliche Hoheiten, heilige Mütter und Väter, Gouverneure, Provinzgouverneure, hohe Admiralität etc., etc. Wir haben uns zu entschuldigen. Dem Gesetz der Fluktuation künstlerischer Inspiration folgend, kann und wird heute keine Premiere sein. Diejenigen, die willens sind, unserer Probe zuzuschauen, heißen wir herzlich willkommen. Diejenigen, die ihr Geld zurückhaben wollen, müssen gehen und an der Kasse ihre beglaubigten Personalpapiere, ihren militärischen oder zivilen Status vorzeigen und eine in kyrillischen Versalien geschriebene Quittung hinterlassen. Bei der Rückerstattung des prozentualen Anteils des Eintrittspreises mag es eine Verspätung bis zu einem Jahr geben, da die Landschaftssteuern, Kirchensteuern, Kriegsveteranen- und Reparationssteuern abgezogen werden müssen. Darum hoffen wir, dass die meisten von ihnen zu bleiben gesonnen sind. Was wir von der dreiaktigen Oper »Die Heirat« in Händen haben, die von Modest Mussorgskij nach dem Werk von ... *(das Mädchen souffliert ihm)* ... von dem großen Gogol geschrieben worden ist, sind vier Szenen, die je nach Jahreszeit, Klima, Barometerstand und den daraus folgenden Gemütszuständen unserer Sänger und unseres Pianisten, Professor Oleg Nikiforowitsch Schpanko vierzig bis fünfzig Minuten dauern.

(Schpanko hat sich ebenso wie seine Frau erhoben, als sein Name genannt wird.)

Die Szene stellt die Junggesellenwohnung von *(er scheucht die Sänger fort)* Podkolessin vor. Stellen Sie sich, bitte, hier eine Wand vor, dort eine Tür und da noch eine. Achten Sie, bitte, nicht auf die Dekorationen von »Troubadour«, »La Vestale« von Spontini – was für eine langweilige Oper –, »Entführung«, die

Sie nicht sehen würden, wenn wir die Zeit oder die Absicht gehabt hätten, eine Wand hinzustellen. Die Zeit ist die Gegenwart von 1874, obwohl die uns vorliegenden Noten bereits am achten Juli 1868 zugestellt wurden.

(Er dunkelt den Zuschauerraum ein, lässt einen Kronleuchter aus dem Schnürboden herab. Ein älterer Mann überquert die Bühne und geht in den Orchestergraben.)

Professor! Der Souffleur . . . er ist taub. Eine weitere russische Spezialität. Professor!

(Die Musik beginnt.)

(Podkolessin liegt, die Pfeife im Mund, auf dem Sofa.)

PODKOLESSIN: Ja, wie ich daliege, allein, und so grübelnd, da sag ich mir: wie gut wär' die Heirat, ja, und warum nicht? Ja, es ist richtig! Man lebt dahin, man wird alt und griesgrämig, alles wird langweilig. Und die Fastenzeit ist längst vorbei. Es soll alles geregelt werden. Wie lange kommt schon die Heiratsvermittlerin und sagt, dass sie selbst

wisse, was jetzt zu geschehen hat.
Heda, Stefan!
(Stefan tritt ein.)
Ist nicht das Weib gekommen?

STEFAN: Nein.

PODKOLESSIN: Warst du beim Schneider,
he?

STEFAN: Ja!

PODKOLESSIN: Sag was! – Mein Anzug?

STEFAN: Herr?

PODKOLESSIN: Na, näht er meinen Frack?

STEFAN: Ja! Natürlich. Fehlen die Knöpfe
noch dran.

PODKOLESSIN: Was hast du gesagt?

STEFAN: Sagte nur: Fehlen die Knöpfe
noch dran.

PODKOLESSIN: Gut – war er neugierig und
fragte, warum ich die Fräcke haben will?

STEFAN: Nein, Herr! Nein, er fragte nicht.

PODKOLESSIN: Vielleicht auch hat er gefragt, ob ich heiraten will, und das bald
schon?

STEFAN: Nein, Herr. Er hat gar nichts mehr
gefragt.

PODKOLESSIN: Wie komisch! Na, muss er
nicht noch andere Fräcke schneidern?
Er näht für andre auch, ganz gewiss?

STEFAN: Ja! Ja, es liegen dort Fräcke
herum.

PODKOLESSIN: Siehst du! Und meiner war
von bessrer Machart als der Rest?

STEFAN: Ja, ja, das konnte jeder sehen – der
ist besser.

PODKOLESSIN: Kann dich nicht verstehn.

STEFAN: Hab' gesagt, dass das ein jeder sehen konnte: der ist besser.

PODKOLESSIN: Hm! Das ist gut! He, und er
fragte nicht, warum dein Herrchen
einen neuen Frack aus gutem Tuch jetzt
grade will?

STEFAN: Nein, er fragte nicht.

PODKOLESSIN: Machte vielleicht einen
guten Witz: Dieser Frack wäre für eine
Hochzeit?

STEFAN: Nein, bestimmt nicht! Er sprach
kein Wort zu mir.

PODKOLESSIN: Wie komisch, hast du ihm
erzählt von meinem Rang, wo ich arbeiten geh'?

STEFAN: Sicherlich!

PODKOLESSIN: Was sagte er drauf?

STEFAN: Hat gesagt: »Ich tu mein Bestes.«

PODKOLESSIN: Das ist gut. Das ist sehr gut!
(Stefan ab.)

PODKOLESSIN: *(allein)* Ja, ich glaub', sicherlich, ein schwarzer Frack macht doch mehr Eindruck. Ein Heller eignet für Beamte sich mehr – mehr für Schreiber, und für den ganzen Rest –, meiner nicht würdig wär' das. Doch beim höheren Dienstgrad – nun, jemand wie ich, trägt dem schon Rechnung – nun, wie denn nun . . .? Wie denn nun, hm . . .? Was ich noch sagen wollt', hab' das Wort nun vergessen, ganz aus dem Kopf. Ach ja! Immerhin, ja, das steht einmal fest, gilt für alle Ewigkeit, dass ein Hofrat so viel ist wie jeder Oberst. Fehlen Hofräten die Achselstücke nur. Heda! Stefan!
(Stefan tritt ein.)

PODKOLESSIN: Du kauftest die Schuhcreme?

STEFAN: Gewiss!

PODKOLESSIN: Sag mir wo? In dem Geschäft, in das ich dich schickte?

STEFAN: Jawohl, Herr.

PODKOLESSIN: Na, und sie taugt? Du – hast sie probiert schon?

STEFAN: Sicher doch.

PODKOLESSIN: Sie glänzt?

STEFAN: Sie ist schon ziemlich gut.

PODKOLESSIN: Nun sag noch: Hm, dieser Kaufmann, bei dem du die Creme kauftest – der fragte nicht, wozu dein Herr denn nur die Schuhcreme plötzlich brauchte? Ob nicht dein Herr sehr bald heiraten würde? Nun sag schon!

STEFAN: Nein doch, nichts hat er gefragt. *(Stefan ab.)*

PODKOLESSIN: *(allein)* Wer sich verheiratet, weiss nicht, was ihm bevorsteht. All der Lärm und Ärger. Man hat eins erledigt, dann kommt was andres dran. Teufel noch mal! Nichts geht mehr so, wie es geplant wurde. He, Stefan! *(Klatscht in die Hände.)* Stefan!
(Stefan tritt ein.)

STEFAN: Was soll denn nun sein?

PODKOLESSIN: Da ist noch etwas, hör zu, was ich vergaß . . .

STEFAN: *(unterbrechend)* Die Alte ist da!

PODKOLESSIN: Ah! Fjokla? *(Bei »Ach« ist Stefan schon verschwunden.)* Ach, das trifft sich gut. Herein mit ihr! Ja, ja, welche Qual! Oh mein Gott, welch eine Qual! . . .

2. Szene

*(Durch die offene Tür sieht man Fjokla mit
Stefan reden, sie dreht und wendet sich und
macht ihm durch Gesten etwas begreiflich.
Fjokla tritt affektiert ein und sieht sich um.
Sie nähert sich Podkolessin unter vielen
Bücklingen.)*

PODKOLESSIN: Ah! Grüß Euch, grüß Euch,
Fjokla Iwanowna! Was ist? He? Nehmen
Sie doch Platz, und dann erzählen Sie!
Nun, wie steht es? Nun? Wie heißt sie
gleich, Melanja? *(Sie setzt sich.)*

FJOKLA: Agafja Tichonowna.

PODKOLESSIN: Ja, ja! Agafja Tichonowna.
Sehr jung ist sie wirklich nicht mehr, so
etwa rund um die vierzig.

FJOKLA: Nein, was reden Sie! Wenn Sie
verheiratet sind, dann werden Sie noch
täglich an mich denken, und das voller
Dank.

PODKOLESSIN: Sie übertreibt, Fjokla Iwanowna!

FJOKLA: *(entrüstet)* Wenn man alt wird,
übertreibt man nicht mehr. Niemals.
(Beide schweigen.)

PODKOLESSIN: Und wie steht es nun mit der Mitgift? Wie viel wert ist sie?

FJOKLA: Nun zu allererst wäre das Haus im Moskauer Kreis, aus Steinen gebaut. Hohen Zins bringt es ein, Sie werden damit zufrieden sein. Allein der Laden bringt siebenhundert Rubel ein. Dazu liegt daneben ein kleines Bierlokal, das sehr gut geht. *(Sie zieht ihren Stuhl näher zu Podkolessin.)* Seitenflügel hat das Haus, sehr gut gebaut auf Steinfundamenten, der Rest ist sehr solide Holzarbeit. Und jeder Seitentrakt bringt Ihnen an vierhundert Rubel. *(Sie rückt noch näher.)* Dann gehört noch dazu ein Gartengrundstück, das ist seit Jahren verpachtet an einen Verwalter, der dort nur Kohl pflanzt. Erwachsene Söhne hat er. Zwei haben Frauen. *(Sie rückt ihren Stuhl noch näher zu Podkolessin.)* »Der Dritte«, sagt er, »ist viel zu jung noch, der bleibt daheim, hilft mir, ihm vererbe ich dann mein Geschäft. Ich werde schließlich alt, ja, der übernimmt später, wenn der Ärger mir zu groß wird.« *(Sie ist sehr erregt. Er winkt ab.)*

PODKOLESSIN: *(mit lebhafter Geste)* Meine
Braut ist hoffentlich ganz hübsch?

FJOKLA: *(mit verzückter Miene)* Samtene
Haut! Gertenschlank, die Wangen sind
rot, wie Milch und Blut. *(sich zu ihm
beugend)* Wie eine Puppe; sie ist wirklich
zauberhaft. Sie werden verblüfft sein,
wenn Sie sie erst mal sehn. Sie werden
sagen, dass alle es hören: »Liebe Fjokla
Iwanowna, ich danke!«

PODKOLESSIN: Ist die Familie etwas? Wohl
nicht meine Klasse?

FJOKLA: Ihr Vater ist unendlich reich!
Städter natürlich, doch ist dieses Mäd-
chen eine Perle, spräche nie mit einfa-
chen Leuten, kennt nur die vornehme
Welt. Klasse nenne ich das! Und am
Sonntag wirbelt sie umher in dem sei-
denen Kleid. Gott, ist das schön; von
Adel scheint sie.

PODKOLESSIN: Ich meine – Unsinn scheint
mir das Ganze, doch –, ich habe Rück-
sicht zu nehmen. Sie müssen verstehen.

FJOKLA: *(unterbrechend)* Das ist mir klar.
Abstreiten will ich nicht, dass da ein
Mann war, so ein Beamter, doch sie warf
ihn raus! Der arme Alte war so abson-

48

derlich: hat gelogen der Mann mit je-
dem Wort. Oh, es war ekelhaft, er hörte
niemals damit auf! Das hat der Herr uns
als Prüfung zugedacht.

PODKOLESSIN: Hm, und außer dieser, wer
kommt sonst noch in Betracht?

FJOKLA: Weiteres Suchen bringt gar nichts
ein. Sie ist schon, was Ihr verlangen
könnt.

PODKOLESSIN: *(gelassen)* Was, die soll die
Beste sein, die es gibt?

FJOKLA: Die Beste, die Ihr verlangen
könnt, das ist sie bestimmt.

PODKOLESSIN: *(sich abwendend)* Bedenken
wir's, bedenken wir's, Mütterchen.
*(Fjokla entfernt sich nach und nach von
Podkolessin.)* *(gähnend)* Kommt nur
Sonnabend wieder. Überschlafen muss
ich alles noch mal. Alles besprechen wir
dann am Sonntag.

FJOKLA: *(mit erhobenen Armen)* Wozu das
denn noch mal! Ich besuch' Sie wochen-
lang schon, und nichts kommt heraus.
Das Herrchen sitzt nur da, saugt an der
scheußlichen Pfeife herum.

PODKOLESSIN: *(erregt)* Ich muss denken,
dass Ihr glaubt, eine Heirat ist, als sagte

49

man: »He, Stefan, die Stiefel bringt her!« und sie dann anzieht. Das wäre alles! *(gelassen)* Überlegt will das sein. Sorgsam bedacht.

FJOKLA: Das ist schrecklich. Wir gehen sofort los! Nehmt den Mantel. Ab geht die Post.

PODKOLESSIN: Hinaus? Nein, das Wetter ist ekelhaft, sehn Sie selbst, es regnet.

FJOKLA: Unglaublich ist es. Bald ist es viel zu spät. Grau wird schon Euer Haar. Irgendein andrer schnappt Euch vielleicht das Mädchen weg.

PODKOLESSIN: Was ist? Sagt Ihr, ich hab' graues Haar? Habt Ihr wirklich grad gesagt, dass ich grau werd'? He? Dass mein Haar grau wird?

FJOKLA: *(ruhig)* Warum nicht? Kriegt doch ein jeder graues Haar.

PODKOLESSIN: Ihr lügt! Ich will in den Spiegel seh'n. Wieso behaupten Sie bloß, dass ich grau werd'! Heda, Stefan! *(Stampft auf.)* Stefan! *(Stefan tritt ein.)*

PODKOLESSIN: Bring den Spiegel her. Mach schon zu. Wie fürchterlich! *(Stefan schneidet eine Grimasse.)* Teufel auch! Ich und graues Haar! Das ist schlimmer als Pocken! ...

(Podkolessin geht zur Tür rechts, hält inne und fühlt seine Haare – beide Hände am Kopf geht er hinaus.)

3. Szene

(Kotschkarew stürzt herein.)

KOTSCHKAREW: Ah, Podkolessin! *(bemerkt Fjokla)* Du hier im Haus? *(wild)* Gut denn! Gib Antwort: Warum drängtest du mich in die Ehe?

FJOKLA: Was soll das heißen? Sie wollten selber.

KOTSCHKAREW: »Sie wollten selber.« Alle hatten mich gewarnt. Warum wollt' ich unbedingt verheiratet sein?

FJOKLA: Du hast immer geschrien: »Oh, ich brauch' eine Frau zur Ehe.«

KOTSCHKAREW: *(wieder wild werdend)* Oh, du alter Rattenschwanz! Was treibt dich hierher? *(Fjokla weicht zurück.)* *(Argwöhnisch)* Du willst doch Podkolessin nicht auch ...

FJOKLA: *(frech)* Wie nicht? Gott will den
  Ehestand.
KOTSCHKAREW: Aha! Dieser Teufel! Und
  mir keinen Hinweis zu geben! Und nun?
  Du spielst wohl mit uns, he? Und
  kommst dir vor, he?
  *(Podkolessin kommt herein, den Spiegel
  in der Hand, sich darin betrachtend.
  Kotschkarew nähert sich Podkolessin
  verstohlen.)*
KOTSCHKAREW: *(Podkolessin erschreckend)*
  Hu!
PODKOLESSIN: *(stößt einen Schrei aus und
  läßt den Spiegel fallen.)* Au! *(außer sich)*
  Was soll das denn? He? Idiot! Oh, oh,
  mein Herz! Du Wildgewordener! Bring
  mich nur um! Höre, höre, wie es schlägt.
  Kann mein Tod sein!
KOTSCHKAREW: *(sich über Podkolessin
  lustig machend)* War nur ein Spaß. Gib
  Ruh'!
PODKOLESSIN: *(ärgerlich)* Mach die Späße
  anderswo! *(noch immer erregt)* Das bekommt mir sehr schlecht. Ja, wirklich,
  mir ist übel. *(Ganz traurig den zerbro-
  chenen Spiegel betrachtend.)* Nun sieh dir
  den Spiegel an!

KOTSCHKAREW: *(beschwichtigend)* Gib
Ruhe! Ich besorge dir ein neues Spiegel-
chen.

PODKOLESSIN: *(verärgert)* Ja, sehr gut!
Danke sehr! Ich kenne diese Spiegel
schon: Sie machen dich ein Dutzend
Jahr' älter. Und zahllose Fältchen sieht
man dann.

KOTSCHKAREW: Nun hör mal, Podkolessin:
Ich hätte viel Grund, dir ganz heftig zu
grollen. Ich bin dein Freund, und diesen
Freund hintergehst du. *(fixiert scharf
Podkolessin)* Die Heirat zum Beispiel!

PODKOLESSIN: Oh nein! Oh nein! Ich will
keine Heirat.

KOTSCHKAREW: *(auf Fjokla deutend)*
Warum ist die dann hier?
(Fjokla setzt eine wichtige Miene auf.)

KOTSCHKAREW: Wir alle wissen warum!
Eh! Also gut: Es ist so schlimm ja nicht,
kein Verbrechen auch. Gilt doch auch
als nützlich für das Vaterland. Bravo!
Bravo! *(übermütig)* Wenn du mir
gütigst erlauben willst ... *(zu Fjokla)*
Schon gut, nun sage mir, ob es eine
Dame von Adel ist, und überhaupt,
wie sie heißt! Nun sag's!

FJOKLA: Agafja Tichonowna.
KOTSCHKAREW: Agafja Tichonowna.
Branda Chlistowa?
FJOKLA: Oh nein, Kuperdjagina.
KOTSCHKAREW: Richtig! Lebt am Markt-
platz, ist dem nicht so?
FJOKLA: Keineswegs! Näher zum Sandweg
ist das, bei der Kaufmannstraße.
KOTSCHKAREW: Oh ja! Bei der Kaufmann-
straße. *(entschieden)* Das ist das Haus aus
Holz neben dem Geschäft?
FJOKLA: Nein, nicht beim Laden da, viel
näher am Bierlokal.
KOTSCHKAREW: Da direkt am Bierlokal?
Versteh' nicht. Jetzt weiß ich nichts
mehr.
FJOKLA: Ich erklär's dir. Da, wo man in die
Allee kommt, da steht man auch gleich
vor dem Laden. Ein paar Schritte weiter, dreh dich links herum, und dann
stehst du genau vor dem Haus, nicht
wahr, grad vor deinen Augen ist dann
das Haus der Näherin, die mit ihrem
Schwager lebt, aber das ist's immer
noch nicht. Aber hinter diesem Häus-
chen ist noch ein steinernes, und das ist
nun das richtige, dies Haus gehört je-

nem Mädchen nun. Agafja Tichonowna, der Verlobten.

KOTSCHKAREW: *(übersprudelnd)* Bravo,
bravo! Jetzt weiß ich wirklich alles ganz
genau. *(gelassen)* Ich pack' es an. *(zu
Fjokla)* Du scherst dich von hier fort.

FJOKLA: (aufgebracht) Wie denn? Du willst
wohl die Heirat alleine vermitteln?

KOTSCHKAREW: *(Fjokla fixierend)* Halt
dich da heraus!

FJOKLA: Oh du übler Gesell'! Das ist kein
Geschäft für Männer. *(Kotschkarew be-
stürmend)* Das ist wirklich ganz und gar
meine Sache!

KOTSCHKAREW: *(sie barsch anfahrend)* Nun
scher dich fort! Halt dich raus! Halt dich
raus, ja!

FJOKLA: *(zieht sich giftig zurück)* Nun, das
ist wirklich stark! *(geht schimpfend zur
Tür)* Was er sich da herausnimmt! *(wütend laut)* Lass dir sagen, du wirst alles
noch bereuen. *(Sie geht hinaus.)*

4. Szene

KOTSCHKAREW: Endlich! Du wirst dich
aber bewegen müssen. Komm schon!

PODKOLESSIN: *(faul auf dem Sofa liegend)*
Jetzt noch nicht! Warum so eilig!

KOTSCHKAREW: Warum zögern? Was ist
schon wieder? Nun sieh dich mal an! Als
lediger Mann verkommt man allmählich.
Sieh doch nur einmal die Wohnung an.
(er sieht sich um) Dort ein einzelner
Stiefel, ungeputzt. Da ein Haufen
dreckiger Wäsche. Und überall hast du
deinen Tabak verstreut. *(wendet sich
zu Podkolessin)* Und du liegst herum,
paffst vor dich hin, Schmarotzer bist du.

PODKOLESSIN: Ach, ich weiß es. Ich bin
nicht sehr ordentlich. Ja, schlimm sieht
es hier aus.

KOTSCHKAREW: Doch dann im Ehestand ist
alles auf der Stelle ganz anders. *(zeigt im
Zimmer umher)* Hier kommt dann ein
Sofa zu stehn, dann ein Hündchen, dort
singt ein Vögelchen, und ein Teppich.
*(wendet sich an Podkolessin, der sich auf-
richtet)* Und denke daran: Du, behaglich
im Sessel, ruhig, zufrieden und dann . . .

dein hübsches Weibchen umschmeichelt dich und sitzt da an deiner Seite. *(Packt ihn mit der einen Hand am Rock und streichelt ihn mit der anderen am Kinn.)* Wenn dann ihre Hand, *(Podkolessin lacht)* wenn dann ihre Hand ... *(Podkolessin, angenehm berührt, entwindet sich ihm)*

PODKOLESSIN: Zum Teufel noch mal, stell dir das vor: Du spürst den Druck ihrer kleinen Finger! Wunderbar, und weiß wie Milch!

KOTSCHKAREW: Und obendrein gibt es ja nicht nur die Hände, da sind noch ... *(beugt sich über Podkolessins Ohr, zieht sich dann wieder zurück und fährt mit erhobenen Händen fort)* Aber was soll's. Du weißt selber, worum es geht ...

PODKOLESSIN: *(träumt glücklich vor sich hin und lacht)* Gut, denn, ich geb' mich geschlagen, es wär' schön für mich, wär' eine da, die ruhig hier neben mir säß'.

KOTSCHKAREW: *(anzüglich)* Ja? Gern hast du das? *(reibt sich die Hände)* Dann gut, schreiten wir nun zu Taten. *(Er geht zum Tisch, wühlt in den Papieren und nimmt sich einen Bleistift.)*

PODKOLESSIN: *(geht rasch auf Kotschkarew zu)* Nein, warte! Nein warte! Ja, warum denn gleich dieser Wirbel? Grad als wenn ...

KOTSCHKAREW: *(unterbricht ihn)* Also was? Gehst du jetzt, gehst du nicht?

PODKOLESSIN: Ich? Wieso? Ich bin mir noch nicht klar geworden.

KOTSCHKAREW: *(hebt die Arme)* Oh, bei Gott!

PODKOLESSIN: *(setzt sich)* Ich wäre ganz glücklich, wäre da nicht ...

KOTSCHKAREW: Wenn was nicht wäre?

PODKOLESSIN: Ich meine, wenn da nicht ... es ist schon seltsam!

KOTSCHKAREW: *(ihn nachäffend)* Was seltsam?

PODKOLESSIN: Sicherlich seltsam! Junggeselle war ich und jetzt im Nu verheiratet!

KOTSCHKAREW: Was zum Teufel meinst du nur? Nun seh' ich klar! Mir war so manches noch nicht klar. *(näher zu Podkolessin)* Sieh dich doch nur einmal an, was siehst du im Spiegel? Ja, wen? Wie sinnlos lebst du dahin. Mach dir klar, wer du bist, dann musst du erkennen, du bist ein Idiot. Sonst nichts! Stell dir mal vor:

58

Kleine Kinder kriechen durchs Zimmer –
sollten nicht nur zwei sein. Ein halbes
Dutzend schon! Und allesamt sehen
genau aus wie du. Hör, du bist mein
Freund, ein höhrer Beamter, dein Gehalt
reicht aus, alles in Ordnung. Aber sonst!
Kinder sind um dich, sitzen auf dem
Schoß dir, sechs kleine Staatsbeamte
sind's. Sie sind niedliche kleine Teufel,
kommen, um dich zu plagen. Einer klet-
tert an dir hoch, zerrt dir am Schnurr-
bart, du bellst ihn an wie ein Wachhund,
Wau, Wau, Wau! *(klopft ihm auf die
Schulter)* Nun, kann man sich etwas viel
Schönres vorstellen? Sag selbst!

PODKOLESSIN: *(lässt sich auf das Sofa fallen)* Alles ganz schön, aber Teufel sind
sie, sie ruinieren alles, was hier herum-
steht.

KOTSCHKAREW: Warum nicht! Sind sie
doch deine Ebenbilder. *(Stößt Podkolessin an)* Das ist es!

PODKOLESSIN: *(lacht und erhebt sich)* Ja,
ich gestehe gerne, alles das scheint ver-
führerisch! Stell' mir vor, ein rundliches
Baby, und dann, später, wird es mir ähn-
lich sein.

KOTSCHKAREW: Ja, ganz kurios. Gut, gehn wir!

PODKOLESSIN: Nun gut denn, gehn wir.

KOTSCHKAREW: He, Stefan! *(Stefan tritt ein.)* Bring dem Herren gleich Hut und Mantel. *(Podkolessin zieht den Hausrock aus und geht zum Spiegel, er wirft sich in die Brust und lacht selbstgefällig, er gähnt, er fasst an seinen Kragen und erschrickt.)*

PODKOLESSIN: Verflucht sei das Weibsbild! Alle Kragen sind noch ungestärkt, sie sind nicht steif. Zerknittert sind sie.

KOTSCHKAREW: Nun mach schon! Lass uns gehn! Keine Verzögerung mehr!

PODKOLESSIN: Hut! *(Er sinkt wieder auf das Sofa, schüchtern)* Doch hör mal, Ilja Fomitsch! Warum gehst du nicht allein?

KOTSCHKAREW: *(aufbrausend)* Was fällt dir ein! Wer will denn nun heiraten? Ich oder du?

PODKOLESSIN: *(streckt sich und gähnt)* Wirklich, fühl' mich nicht danach. Lass uns morgen gehen.

KOTSCHKAREW: Aber was faselst du noch. Welch ein Feigling bist du, plärrende alte

Heulsuse. Jetzt plötzlich willst du nicht
mehr. Esel du, Baby, altes Waschweib!

PODKOLESSIN: Ich danke sehr! Wirklich rei-
zend! *(packt Kotschkarew an der Brust)*
Wie du mich zu beleidigen wagst, als
wäre ich blöde. Pöbelst wie ein besoffner
Landsknecht. Und Stefan ist noch zuge-
gen!

KOTSCHKAREW: Wie kämest du sonst zu
Verstand. Was fiele mir noch zu dir ein!
(schmeichlerisch) Ein so prächtiger
Mensch wie du, erstrebt eine Heirat,
und plötzlich nun stellst du dich quer-
köpfig und hast den Verstand verloren.
Oh, du hirnloser Spatz.

PODKOLESSIN: Hör auf jetzt. Lass das! Ich
möchte nichts mehr hören.

KOTSCHKAREW: Also! Wir gehen! Es ist besser! *(zu Stefan)* Du bringst sofort uns
Hut und Mantel! Schnell doch!
*(Podkolessin wendet sich zur Tür, hält
inne, geht dann entschlossen weiter, be-
trachtet Kotschkarew von der Seite. Er ist
an der Tür. Während Stefan ihm den
Mantel zuknöpft, streichelt er seinen Hut
und lacht kindisch. Kotschkarew beobachtet Podkolessins Manöver. Er wendet sich*

brutal gegen ihn und stößt ihn hinaus.
Beide ab.)

(Ende. Applaus. Madame hat die Zeitung
gelesen.)

MADAME: *(nach dem Applaus)* Was ist denn
das hier?

INSPIZIENT: Was ist was? Hat es nicht Zeit,
Olga Maximowna? Das Publikum ist
noch im Hause.

MADAME: (erhebt sich wütend) Nein, das
hat keine Zeit. Es ist die St. Petersburger
Zeitung vom letzten Mittwoch, den
zwanzigsten Januar.

INSPIZIENT: Und?

MADAME: »Boris Godunow«.

DROSDOW: Was ist das?

MADAME: Eine neue Oper, angekündigt
vom Marinskijtheater. Die Premiere ist
am Freitag, den achten Februar.

RUDINA: Was hat das mit uns zu tun?

MADAME: Wissen Sie, wer der Komponist
ist?

ALLE: Nein!

MADAME: Modest Mussorgskij.
(Allgemeiner Aufschrei.)

DROSDOW: Sie glauben, dass wir in den

letzten sechs Jahren an einem hoffnungs-
losen Projekt geprobt haben – sechs
Jahre unseres Lebens, die besten Jahre.

RUDINA: Die verlorenen Jahre sind immer
die besten gewesen.

MADAME: So etwas darf nicht einmal ein
Genie tun, auch nicht mit kleineren Genies.

MÄDCHEN: *(à la Tschechow)* Meine Jugend!
Meine verlorene Jugend!

PROFESSOR: Ausgerechnet jetzt, wo ich die
Partitur beherrsche …

DROSDOW: Was für eine Befriedigung ver-
schafft überhaupt solche Musik?

JEROFEJEW: Wenigstens war sie eine Ablen-
kung von den ewigen Kirchentonarten.

DROSDOW: Wir werden bei der Regierung
protestieren – im Namen der Kunst.

MÄDCHEN: Im Namen der Wahrheit und
der Schönheit.

MOKROWSKIJ: Drosdow, setze den Peti-
tionsentwurf auf.

MADAME: Ich kann bessere Petitionen ent-
werfen als irgendeiner sonst hier.

PROFESSOR: Ich bestätige das.

INSPIZIENT: Nicht so schnell! Beruhigen
Sie sich. *(Alle sind still.)* Lauschen Sie,

wenn Sie so wollen, auf die Stimme der Erfahrung, die unvermeidlich, so will es das Leben, die Stimme des Zynismus ist. Was haben wir davon, wenn wir eine Petition aufsetzen, die wir sogar alle unterschreiben. Wir lenken die Aufmerksamkeit auf uns, das ist alles. Die Produktion wird von höchster Stelle abgeblasen, und wir sind unsere Arbeit ein für alle Mal los. Einige von Ihnen können wieder in der Kirche singen oder stumme Rollen in Provinztheatern übernehmen.

MADAME: Machen Sie sich, was mich betrifft, keine Sorgen. Es herrscht ein großer Mangel an Umblätterern in Russland. Mit meinem Mann ist es anders. Es gibt Tausende von Pianisten.

INSPIZIENT: Andere sind nicht so glücklich dran und werden verhungern oder müssen vom Mitleid ...

DROSDOW: Was wäre die Alternative?

INSPIZIENT: *(schlau)* Weiterproben. Wir sind im Etat des Kultusministeriums ein fester Posten. Wir existieren und bekommen monatlich Geld, wenn auch mit Verspätung. Keiner braucht zu wissen, dass diese Oper nie fertig werden wird.

Mit ein wenig Glück können wir bis ans Ende unseres Lebens in einem gewissen Komfort weiterproben.

DROSDOW: Jetzt ist der Augenblick gekommen, wo man entscheiden muss, ob es unser Ehrgeiz ist, im Dienst an der Kunst zu verhungern oder um des Überlebens willen zu schwindeln.

INSPIZIENT: Lassen Sie uns eine Versammlung einberufen.

(Allgemeine Zustimmung)

MÄDCHEN: Ich bin bereit, im Dienste an der Kunst zu verhungern.

INSPIZIENT: Wegen gewisser anderer Konzessionen, die in Ihrer Möglichkeit liegen, wird es dahin nie kommen.

MÄDCHEN: Auf Wiedersehen, meine armen, betrogenen Freunde. Ich habe im Gegensatz zu euch noch Hoffnung.

INSPIZIENT: Ihre Hoffnungen bestehen weitgehend in der Waagrechten. In der Vertikalen vermindern sie sich.

MÄDCHEN: Während der sechsjährigen Nachtmahr an Proben habe ich gelernt, Mussorgskij zu verstehen. Mussorgskij und Gogol. Armer toter Gogol, armer lebender Mussorgskij! Keiner von bei-

den fühlte sich bei Frauen wohl, weil
keiner von ihnen jemals eine Frau gefunden hat, die ihm nicht Angst eingeflößt
hätte.

PROFESSOR: Ah!

MADAME: Was soll das heißen, ah?

PROFESSOR: *(wieder vernünftig)* Ah!

MÄDCHEN: Vielleicht hat der Professor
auch in seinem Herzen verschlossen,
wie die vergilbte Blume in einem Poe-
siealbum, den Funken eines Genies.
Wer kann das in unserem Russland wissen, wo selbst die Revolutionäre in ein
bestimmtes Muster passen . . .

JEROFEJEW: Lasst die Kosaken kommen,
ich habe keine Angst.

MÄDCHEN: . . . und wo die Narren wie ein
Ei dem anderen gleichen. Und während
alledem verwandelt sich die Milch der
allgemeinen Freundlichkeit in Joghurt,
verdorren die Tränen, gefriert das
Lächeln, und jede Unterhaltung wird
zum Gewäsch.

MADAME: *(zum Professor)* Lässt du es zu,
dass man dich so beleidigt?

PROFESSOR: Das verstehst du nicht. Sie
schmeichelt mir.

MADAME: Wenn das so ist, weise es zurück. Weise es zurück!

PROFESSOR: *(bewegt)* Wasser findet seinen Weg, Mademoiselle, und Musikprofessoren ebenfalls. Ich bin kein Genie.

MÄDCHEN: Das hat man Ihnen zu lange eingeredet. Sie spielen Mussorgskij, als ob Sie es selbst komponiert hätten. Sie brauchen die Musik nicht einmal erst zu lesen. Auf jeden Fall blättert sie sowieso an der falschen Stelle um.

MADAME: Wie können Sie es wagen!

PROFESSOR: Sie kann keine Noten lesen.

MADAME: Oh, qu'il est mal eduqué!

MÄDCHEN: Und Sie will den Leuten weismachen, dass Sie nichts allein ausrichten können. Sie können alles allein machen, und Sie wissen es. Ich kann es Ihnen beweisen, wenn Sie wollen.

MADAME: Oleg, höre auf, Sie anzusehen.

MÄDCHEN: Das ist nicht nötig, Madame. Er weiß, dass die Welt der Frauen aufgeteilt ist, nicht in die der Tugendsamen und der Gefallenen, sondern zwischen denen, die einen Mann zerstören, und denen, die ihm Selbstvertrauen schenken. Das ist wichtig, da die Männer das schwächere Geschlecht sind. *(Sie lässt eine weiße Blume auf den Fußboden fallen.)* Ich fahre nach St. Petersburg, um Mussorgskij zu sehen. Ich schicke Ihnen ein Telegramm. Es müsste eigentlich zwei Jahre vor der Premiere ankommen. *(Sie geht ab.)*

MADAME: Sind Sie sicher, dass die Frau uns nicht verrät?

INSPIZIENT: Es kommt darauf an, welches Ohr ihrem Mund nahe kommt. Das ist ein Risiko, welches wir eingehen müssen. Wir haben alle einstimmig ja gesagt. Habe ich Recht?

(Allgemeine Zustimmung)

INSPIZIENT: Wir sind viele. Sie steht allein.

MOKROWSKIJ: Nach der Tradition des großen Gogol müssen wir jetzt alle einen Eid schwören, dass wir, im Falle, einer von uns stirbt, behaupten, er sei nur verspätet zur Probe erschienen.

(Allgemeine Zustimmung)

MOKROWSKIJ: Jeder muss die Unterschrift aller anderen üben, so dass der Verstorbene noch für seine Gage unterschreiben kann.

INSPIZIENT: *(in der allgemeinen Euphorie)*

Hervorragend! Nun wollen wir alle unsere rechte Hand heben und schwören.
Wiederholen Sie ...

PROFESSOR: Ich bin Linkshänder.

INSPIZIENT: Mit einer besonderen Geneh-
migung geht es auch mit der linken
Hand.

*(Der Professor hebt seine linke Hand.
Seine Frau wirft ihm einen Blick zu. Er
hebt beide Hände.)*

INSPIZIENT: Nun wiederholen Sie. Ich
schwöre feierlich ...

ALLE: Ich schwöre feierlich ...

INSPIZIENT: ... die »Heirat« zu proben
nach bestem Wissen und Vermögen ...

ALLE: ... die »Heirat« zu proben nach
bestem Wissen und Vermögen ...

INSPIZIENT: ... bis dass der Tod uns scheidet.

ALLE: ... bis dass der Tod uns scheidet.

*(Ein Husten verkündet die Anwesenheit
eines Mannes in einer extravaganten,
schneebedeckten Uniform, der eine Akten-
tasche trägt.)*

INSPIZIENT: Wer ist das? Ein Regierungs-
inspektor?

DROSDOW: Der Revisor.

FUNKTIONÄR: Hallo, Zahltag. Sie sind erstaunt? Ist es denn so ungewöhnlich, dass man im heiligen Russland am Zahltag Geld bekommt? Heute ist Freitag.

JEROFEJEW: Ich weiß, dass heute Freitag ist.

FUNKTIONÄR: Hier ist das Geld für die erste Augustwoche. Besser spät als nie, wie es heißt. Hier sind die Lohntüten. *(zu dem Inspizienten)* Da, Sie können für alle hier unterschreiben. Das spart Zeit.

INSPIZIENT: Ich will versuchen, für jeden mit einer anderen Unterschrift zu unterschreiben.

FUNKTIONÄR: Wie Sie wollen, aber es macht eigentlich nichts aus. Ich bin der Einzige, der das noch sieht, bevor es in dem bodenlosen Abgrund der Archive verschwindet. – Wie laufen die Proben?

ALLE: Sehr gut.

FUNKTIONÄR: Wie lange schon?

PROFESSOR: Einige Jahre und ein bisschen.

JEROFEJEW: Beinahe einige Jahre und ein bisschen.

FUNKTIONÄR: Es ist ein Vergnügen, in unserem Lande Gründlichkeit zu erleben. Es gibt zu viel Oberflächlichkeit. Das

Ganze sollte perfekt sein, wenn es vors
Publikum kommt. Wann wird das sein?

RUDINA: Nur noch einige Jahre.

MOKROWSKIJ: Noch wenige Jahre und einige Monate.

MADAME: Noch einige Jahre und wenige
Monate.

FUNKTIONÄR: Wäre es möglich, zwei Ein-
trittskarten zu bekommen?

INSPIZIENT: Drei, wenn Sie wollen.

FUNKTIONÄR: Melodienreich, nicht wahr?
Etwas, das man im Bad pfeifen kann?

INSPIZIENT: Im russischen Bad, wo einen
die Birkenreiser pieken. Es handelt sich
um echte russische Bademusik.

FUNKTIONÄR: Danke. Viel Glück!

*(Wenn er gegangen ist, schütteln sich alle
die Hände.)*

ALLE: Es klappt.

*(Sie nehmen sich ihre Mäntel und gehen
fort. Der Professor findet die Blume, die
das Mädchen fallen gelassen hat. Er kniet,
hebt sie auf und riecht bewegt an ihr.
Gefahr fühlend, verbirgt er sie hinter
seinem Rücken und schleicht sich davon.
Seine Frau erscheint, als der Inspizient
nach vorne kommt.)*

MADAME: Sie haben keine weiße Blume gesehen, die jemand fallen gelassen hat?
INSPIZIENT: Eine weiße Blume, nein . . .
*(Madame ab. Der Inspizient erinnert
sich an etwas. Er dreht sich zum Publikum um.)*
INSPIZIENT: Ich bitte um Entschuldigung,
meine sehr verehrten Exzellenzen, Eminenzen, Erlauchte, Hoheiten, königliche
und kaiserliche Hoheiten, heilige Mütter
und Väter, Gouverneure und Provinzgouverneure, hohe Admiralität etc., etc.
Wir haben Sie sehr vernachlässigt. Wir
unterbrechen die Probe jetzt für einige
Tage, sei es für eine Siesta, Wodka,
Sakuski und ein halbwegs normales
Leben. Falls Sie immer noch hier sind,
wenn wir zurückkehren, sind wir gerne
bereit, die gleiche Veranstaltung zu wiederholen. Wenn Sie glauben, Sie hätten
genug davon, dürfen wir Sie erinnern,
dass die Premiere von »Boris Godunow«
am achten Februar 1874 im Marinskijtheater stattfindet – es sei denn, dort
wären Sie auch Opfer der gleichen grausamen Umstände.
Die Vorstellung ist nun vorüber. Es lie-

gen zwei Meter Schnee, und es fällt immer mehr. Mehrere Wölfe sind in der Umgebung gesehen worden. Gute Nacht und guten Heimweg.

(Er macht das Licht auf der Bühne aus und das im Zuschauerraum an.)

Der Bürger als Edelmann

Komödie mit Tänzen von Molière
Musik von Richard Strauss
Nacherzählt von Peter Ustinov
Deutsch von Manfred Jansen

War „Die Heirat" der Versuch, eine sehr vielversprechende Skizze unter voller Nutzung ihres Embryonalzustandes vor dem Vergessen zu bewahren, so entstand meine Version vom „Bürger als Edelmann" aus dem Entschluss, ein geeignetes Vehikel zu schaffen, mit dem sich der Reichtum der herrlichen Musik transportieren ließ, die Richard Strauss für die verschiedenen Themen seiner Zusammenarbeit mit Hugo von Hofmannsthal geschrieben hat, von denen im Theater keine rundum befriedigend ist, weder in Verbindung mit „Ariadne auf Naxos", noch als Unterhaltung aus eigenem Recht. Ich wage zu behaupten, dass Molières Stück zwar vor herrlichem Witz und köstlichem Aberwitz sprüht, aber dennoch nicht zu seinen ausgefeiltesten Werken gehört, endet es doch statt mit seinem gewohnten Wortfeuerwerk als Ballett. Als Werk für einen Erzähler oder genauer: für Schauspieler, Sänger, Chor und Orchester, bedurfte es eines durchstrukturierten, gesprochenen Schlussakts, der den passenden Höhepunkt für die beiden anderen abgab.

Die Erstaufführung beim Strauss-Festival in Garmisch-Partenkirchen ließ den Schluss

zu, dass wir dieses Ziel einigermaßen erreicht haben, und der Erfolg der CD von
Koch/Schwann, aufgenommen im Bayeri-
schen Rundfunk, hat dies herzerfrischend
bestätigt.

*Zur Musik gesprochene Texte sind kursiv ge-
setzt.*

1. Akt

Nr. 1 Ouvertüre

Wie die Musik deutlich zum Ausdruck bringt, hebt sich der Vorhang, und man blickt in ein luxuriöses Stadtpalais in Paris. Dieses wurde von seinem Besitzer erst vor kurzem einem Adligen abgekauft, der sich gezwungen sah, es zu veräußern. Viel hat sich hier nicht verändert, doch hängen jetzt Bilder von Leonardo da Vinci, Michelangelo und Holbein an der Wand. Und ein Porträt des neuen Besitzers, gemalt von Clouet, der bereits seit zweihundert Jahren tot ist. Sie fragen sich, wie ist das möglich? Nun, Monsieur Jourdain, der mit Textilien ein Vermögen gemacht hat, verehrt die Vergangenheit, bezieht aber seine Selbstsicherheit aus der Kunst, die so neu wie sein Geld ist. An dem alten Krempel ist ja wirklich nichts auszusetzen, aber wenn etwas neu ist, hält es dafür umso länger.

Nachdem sich der Vorhang geöffnet hat, sehen wir einen Tanzmeister, einen Musikmeister, einen Fechtmeister und einen Professor der Philosophie, die wie in einem Wartesaal die Zeit mit belanglosen Plaudereien totschlagen. Wer ist dieser Krösus, der sich solchen Luxus leisten kann? Sie müssen nicht lange warten. Hier kommt Monsieur Jourdain.

Nr. 2 Auftritt Monsieur Jourdain

»Es tut mir Leid, wenn ich die Herren warten ließ ... Entschuldigen werde ich mich dafür aber nicht. Es schadet den Leuten nicht, wenn sie warten müssen. Und das Bewusstsein, dass jemand wartet, ist ein angenehmes Gefühl.« Er lächelt gütig. Plötzlich brüllt er los: »He, Lakaien! Lakaien! He, ihr zwei!«

Die beiden kommen gelaufen: »Stets zu Ihren Diensten, gnädiger Herr; der gnädige Herr haben einen Wunsch?«

Eine Pause entsteht, so dass Monsieur Jourdain wieder sein Lächeln aufsetzen kann. »Nein, keineswegs. Ich wollte nur sehen, ob ihr euch in Hörweite befindet, *falls* ich etwas gewollt *hätte*!«

Wieder eine kleine Pause, während der

alle Wartenden Blicke austauschen. Sie haben sich rasch eine Meinung über ihren Auftraggeber gebildet.

Als Erster bricht der Musikmeister das Schweigen. »Wenn Sie Kenntnisse in der Musik erwerben möchten, mein Herr, sind persönliche Anstrengungen erforderlich. Die Musik ist eine Kunst, bei der Sie sich nicht auf die Unterstützung Ihrer Dienerschaft verlassen können. Selbst ist der Mann, heißt hier die Devise, und Sie werden den Schlüssel zu einer neuen Welt reinster Schönheit finden.«

Monsieur Jourdain lächelt wieder sein Lächeln. »Den habe ich schon gefunden! Und zwar vergangenen Donnerstag, als ich ein nettes Liedchen lernte. Über eine Katze, wenn ich mich recht entsinne. Ist das Orchester bereit, das ich gemietet habe? ... (Stille) ... Orchester?«

»Hier!«

»Ich weiß, wie man ein Orchester zum Schweigen bringt – man brüllt. Aber wie bringt man es zum Spielen? ... Ah! So einfach, ein Stäbchen!«

Nr. 2 A Couplet de Jourdain

Ich glaubete, mein Schätzchen ist doch so mild und schön,
ich glaubete, mein Schätzchen ist zahmer als ein Kätzchen;
doch wilder ist sie hundertmal,
ja, wilder ist sie tausendmal
als Tiger, als Tiger, die im Walde gehn.

Der Tanzmeister interveniert. »Bewunderns-wert! Jetzt noch den Tanz dazu, und wir sind auf halbem Wege zu einem kultivierten Mitglied der feinen Gesellschaft.«

»Eins nach dem anderen«, schnauzt der

Musikmeister, »zunächst müssen wir die Musik zu einem Duett ausbauen.«

»Aber wie?« entgegnet Monsieur Jourdain.

»Die Damen, bitte!« ruft der Musikmeister.

Zwei Damen erscheinen, eine im Kostüm eines Schäfers, die andere als Schäferin. Der Musikmeister fährt fort: »Stellen Sie sich vor, dass Sie es auf einer Waldlichtung mit einem Schäfer und einer Schäferin zu tun haben, die sich gerade über die Liebe unterhalten.«

»He, Lakaien, Lakaien! Mein wollenes Nachtgewand! Mit so einer Schäferin wird es mir eine Ehre sein, den Part eines Schafes zu spielen. Mm, gehe ich jetzt zu weit? Nein, keineswegs, also her mit dem Nachtgewand! Da! Ba-a-a-a!«

Nr. 3 *Musikalisches Gespräch*

Schäfer *Kennst du ewig nichts als Kälte?*
(Alt) *Weißt du ewig nichts als Spott?*
  Was ist süßer als die Liebe,
  Und wo ist ein größerer Gott?
  Kann man ja wohl glücklich werden

84

Ohne sehnsüchtigen Sinn?
Nehmt die Liebe von der Erden,
Und das Leben ist dahin!

Schäferin   *Gerne wollt ich mich verlieben,*
(Sopr.)   *Wären nur die Männer treu.*
           Aber falsch sind ihre Schwüre
           Und ihr Herz geschwinde neu!
           Ja, ich muss mich selber jammern,
           Tauge schlecht in diese Welt,
           Ach, mit Harren und
           Umklammern
           Auf ein einzig Glück gestellt!

Schäfer   *O süßes Sich-verschenken!*

Schäferin   *O ängstliches Gefühl!*

Schäfer   *O zärtliches Verschränken!*

Schäferin   *Viel lieber frei und kühl!*

Schäfer   *Lass dich die Liebe finden!*

Schäferin   *Verworren, weh, und schwül!*

Schäfer   *Lass dich die Liebe finden!*

Schäferin *O ängstliches Gefühl!*

Beide (zusammen)
Sie: *Oh Freiheit, bleib' bei mir!*
Ich will dich nicht verhandeln!
Mir banget vor der Stunde,
Mir grauset vor dem Tag!

Er: *Entsage dieser Härte,*
O lasse dich verwandeln,
Es nahet deine Stunde,
Erfüllet sich dein Tag.

»Das war höchst erfrischend!«

»Ich hoffe, Sie bekommen so genügend Selbstvertrauen, um allein Musik zu machen«, sagt der Musikmeister.

»Ich habe das Gefühl, auf dem richtigen Weg zu sein – vielleicht schaffe ich mir sogar ein Klavichord an. Dort drüben wäre ein guter Platz dafür – zwischen dem *Lehonhardo da Vinki* und meinem Porträt. Jetzt der Tanz!«

»Sie haben es ja offenbar sehr eilig«, erwidert der Musikmeister, gereizt.

»In der Tat, in der Tat; die Dame, die ich zu beeindrucken versuche, speist heute

Abend hier. Das heißt, bevor es dunkel wird, muss ich die Musik, den Tanz, das Fechten und die Philosophie wenigstens ein bisschen begriffen haben.«

Der Philosophieprofessor murmelt etwas in breitem hochdeutschen Akzent: »So etwas wie *ein bisschen Philosophie* gibt es nicht!«

»Aber jetzt gibt's schlagfertige Antworten«, sagt Monsieur Jourdain hochnäsig und fährt fort, indem er sich an den Tanzmeister wendet: »Haben Sie ein Menuett in Ihrem *Repertoar*? Das ist ein Tanz, für den ich besonders gut geeignet bin.«

»Ein Menuett, ja? Aber nicht ohne Hut, Euer Gnaden!«

»Lakaien!«

Wie von Zauberhand erscheint ein Hut mit vielen Federn.

Nr. 4 Menuett

Der Tanzmeister spricht:
»La, la, la, la … Den Takt! Den Takt!
Den Fuß gestreckt!´… La, la, la, la …
Werfen Sie die Schultern nicht so!
Die Arme hängen, als ob sie lahm wären!

Kopf in die Höhe! Auswärts mit der Fuß-
spitze! Den Leib gerade!
La, la, la, la … la, la … la, la …«

Monsieur Jourdain, atemlos: »Na, was sagen Sie?«

»Für den Anfang geht es«, erwidert der
Tanzmeister, »nur die Finesse, neunund-
neunzig Prozent des Endergebnisses, muss
noch kommen.«

»Darüber sprechen wir später«, unterbricht Monsieur Jourdain ungeduldig, »aber
zuerst muss ich unbedingt lernen, wie ich
mich vor einer Marquise verbeugen muss,
vor einer verwitweten, wenn Sie verstehen,
was ich meine.«

»Das fällt in meine Kompetenz«, ruft
der Fechtmeister mit lauter, klarer Stimme.
»Alles, was mit Etikette, guten Manieren,
Grußverhalten, Ehrerbietung oder Bei-
leidsbekundungen zu tun hat. Eine Marquise, sagen Sie, und verwitwet … seit
wann?«

»Seit vier Jahren.«

»*Vier* Jahre?«

»Spielt das eine Rolle, gibt es Unter-
schiede zwischen einer Verbeugung vor

einer Marquise, die drei, vier oder fünf Jahre verwitwet ist?«

»Hm, feine, ganz feine.«

Nr. 5 Szene des Fechtmeisters

»Körper gerade halten, Euer Gnaden, wenn Ihr Euch auf die Verbeugung vorbereitet ... Etwas Druck auf die linke Hüfte ... Die Füße auf einer Linie ... Beine enger zusammen ... Das erste auf einer Linie mit der Hüfte ... Den Arm locker, aber nicht zu schlaff ... Linke Hand in Augenhöhe, linke Schulter zurück ... Kopf gerade ... Augenkontakt, aber nur kurz!

En Garde!

Einen Schritt vor! Körper anspannen ... Jetzt den entscheidenden Schritt tun! Mit dem Hut durch die Luft fahren, dass die Federn flattern ... Bewegung umkehren! Ausgangsstellung! Sprung rückwärts, den Hut hinter den Körper bringen. Augenkontakt wieder aufnehmen ... Gesichtsausdruck fest, aber niemals lächeln!

Diesen Bewegungsablauf bei jeder neuen Marquise wiederholen, die seit vier Jahren verwitwet ist.«

»Jetzt hab' ich den Dreh raus«, meint Monsieur Jourdain fast draufgängerisch. »Ich werde in meinen Gemächern üben, wo ich ganz ungestört von irgendwelchen Zeugen bin.«

»In meinen Augen sind Eure Eminenz ein Schüler mit äußerst rascher Auffassungsgabe.«

»Also, nur kurz – bevor wir uns der Philosophie zuwenden, darf ich Ihnen eine *hypopathetische* Frage stellen?«

»Bitte!«

»Was ist, sollte die Marquise in Begleitung eines eifersüchtigen Liebhabers erscheinen?«

Der Fechtmeister antwortet mit versteinertem Gesichtsausdruck:

»Fragen heben wir uns für später auf. Greifen Sie an, bevor er darauf gefasst ist; das ist Ihre einzige Chance. Sie können sich immer auf berechtigte Notwehr hinausreden.«

»Auch wenn ich *ihn* angreife?«

»Natürlich. Sie können sich sogar Rechtsanwälte leisten, die auf solche Fälle spezialisiert sind. Mit etwas Glück gelingt es Ihnen vielleicht, ihn umzubringen. Und wenn er tot ist, spielt die Qualität *seines* Anwalts keine Rolle mehr!«

»Vielen Dank für diesen Rat ... Womit wir nun beim Philosophieprofessor gelandet wären.«

Dieser räuspert sich zwar, doch der hochdeutsche Akzent bleibt, auch auf Lateinisch. »Nam sine doctrina vita est quasi mortis imago«, sagt er mit breitem Lächeln, »Sie sprechen doch fließend Latein, nicht wahr, Monsieur Jourdain?«

»Selbstverständlich, selbstverständlich. Aber ich wäre Ihnen sehr verbunden, wenn Sie das trotzdem übersetzen könnten, dann hätte ich nämlich die Gewissheit, den Satz richtig verstanden zu haben.«

»Gut! Das heißt, dass das Leben ohne Bildung gleichsam ein Abbild des Todes sei.«

»Genau das, was auch ich verstanden habe!«

»In der Tat. Die menschliche Dummheit ist so unermesslich, dass man nicht genau weiß, wo man mit dem großen Abenteuer anfangen soll.«

»Sprechen Sie wieder lateinisch?«

»Ausnahmsweise nicht. Was möchten Sie lernen?«

»Ich möchte lernen, geistreich zu sein ... geistreich und vornehm, so dass ich mich gleichberechtigt mit den Mitgliedern der feinen Gesellschaft unterhalten kann.«

»Das dürfte nicht allzu schwierig sein.«

»Fangen wir mit dem Verfassen eines Liebesbriefes an, der an Intensität und Ehrlichkeit seinesgleichen sucht!«

»In Gedichtform?«

»Ach, nein!«

»Als Prosatext?«

»Nein!«

»Aber eines davon muss es sein!«

»Wieso?« erwidert Monsieur Jourdain, leicht indigniert.

»Andere Möglichkeiten gibt es nicht, es sei denn, Sie nehmen Zuflucht zu Hieroglyphen, wobei Sie dann jedoch Gefahr laufen, nur von einer Mumie verstanden zu werden.«

»Wenn ich Sie frage, wie spät es ist, ist das dann Dichtung oder – das andere?«

»Das ist Prosa.«

»Und wenn ich sage, dass kein Schüler je lernbegieriger war?«

»Auch das wäre Prosa.«

»Großartig! Ich rede seit fünfzig Jahren Prosa, ohne es zu wissen. Was ist dann Dichtung?«

»Was ist bereit
sich zu reimen auf die Zeit?«

»Ach!« Monsieur Jourdain ist entzückt ...

»Die Zeit totzuschlagen,
kann dir nicht einmal das Gesetz versagen.«

»Mm, nicht schlecht. Aber es muss mehr sein, und es muss sich skandieren lassen, und es muss dergestalt sein, dass es sich von bloßer Prosa abhebt.«

»Lassen Sie mir ein oder zwei Tage Zeit, und ich bin bereit, ... diese Muse zu verführen ...«

Monsieur Jourdain wird von einem choreografischen Ansturm der Schneider unterbrochen, die eine Kollektion eigens angefertigter Kleidungsstücke in den verschiedensten Farben herbeischleppen, wobei Braunrot, Erbsengrün und Schweinchenrosa vorherrschen. Aus irgendwelchen unerfindlichen Gründen handelt es sich bei den Schneidern um Polen. Nun sind die Polen nicht gerade berühmt wegen ihrer Fähigkeiten als Schneider, doch Paris ist die Weltstadt der Mode und Marotten. Momentan ist es eine Marotte, dem überragenden Können polnischer Schneider übertriebenen Respekt zu zollen.

Der polnische Schneidermeister hat das Wort: »Pan Yourdan, Sie gesagt nachmittags. Jetzt Uhr gerade schlägt Mittag. Pyszczemkowsky gibt sich Ähre, mit Kleider in Farben ausgewählt von Ihr kinstlerisches Auge. Ein Dutzend Schneider, alles polnisch, arbeiten sechsundneunzig Stunden ohne Pause.«

»Ich will die Sachen anprobieren!« brüllt Monsieur Jourdain.

»Nicht so hastig, Proshe Barzo, kostbares Kleid wie diese braucht Ritual.« Der Schneidermeister greift zur Fiedel ...

Nr. 6 Auftritt und Tanz der Schneider

Es ist kurz nach Mittag. Fast ganz Paris ist mittlerweile aufgewacht, sieht man einmal von jenen Zeitgenossinnen ab, die ihrem Gewerbe nächtens nachgehen. Alle Intrigen des Tages erreichen allmählich ihren Höhepunkt, wenn es abends kühler wird, und gelangen schließlich zur Vollendung, wenn in den Alkoven nach Einbruch der Dunkelheit die Kerzenlichter flackern.

Monsieur Jourdain hat sich für das schweinchenrosafarbene Prachtstück entschieden, und kaum ist er fein herausgeputzt in dieser Explosion aus scharlachroten Bändern, lavendelfarbigen Schleifen und purpurnen Schärpen, als die Lakaien auch schon den Grafen Dorante ankündigen.

Ob Dorante nun ein Graf ist oder nicht, für Monsieur Jourdain ist er jedenfalls genauso echt wie seine Bilder an der Wand ... Dorante hat sich bereits 17 800 Livres von Monsieur Jourdain geliehen und sucht jetzt um weitere 200 nach, damit seine Schulden eine runde Summe ergeben. Die Rückzahlung wird schnellstens erfolgen und ist gewährleistet, weil der Gesundheitszustand seines Vaters alles andere als stabil ist. In einer Situation, in der das Leben des alten Mannes am Faden einer Perlenkette hängt, hat sich unser junger Herumtreiber in eine Marquise verliebt ... ja wirklich, in eine

Marquise ... Er hat versprochen, ihr ein Geschenk von Monsieur Jourdain, einen Diamantring, auszuhändigen, ließ die Marquise jedoch in dem Glauben, das Geschenk stamme einzig und allein von ihm selbst. Eine Frau muss schon über viel weibliche Intuition verfügen, um einen solchen Prahlhans, einen solchen Schuft zu durchschauen.

Beim Verlassen des Hauses seines leichtgläubigen Wohltäters trifft Graf Dorante am Eingang auf die Tochter von Monsieur Jourdain und ihre Dienerin Nicole.

Monsieur Jourdains Verhältnis zu seiner Tochter Lucile ist nicht frei von Spannungen, da das Mädchen eher nach ihrer verstorbenen Mutter geraten ist als nach ihm: dasselbe kritische Auge – dieselbe bestimmende Art, Menschen und Ereignisse zu beurteilen – dieselbe scharfe Zunge. So hat Monsieur Jourdain gelegentlich den Eindruck, seine Frau habe nie das Zeitliche gesegnet, sondern sei lediglich ungerechterweise verjüngt worden.

Ihre Dienerin Nicole kann sich beim Anblick von Monsieur Jourdain in Schweinchenrosa vor Lachen kaum halten. Jeder
Versuch, sich diese Gemütserregung zu ver-
kneifen, macht die Sache noch viel schlimmer.

Monsieur Jourdain wird wütend: »Diese
Person ist sofort zu entlassen!« befiehlt er.
»Solche Unbotmäßigkeiten seitens der un-
gebildeten Schichten werden nicht hingenommen!«

Lucile entgegnet ruhig: »Nicole bleibt
meine Dienerin. Sie ist erst fünfzehn und
hat noch nicht gelernt, ihre Emotionen un-

97

ter Kontrolle zu halten. Ich bin etwas älter und weiß, wie man das macht. Derselbe beklagenswerte Anblick löst in mir nur Schweigen und Traurigkeit aus.«

»Ich schließe die Augen, und es ist, als hörte ich die Stimme deiner Mutter.«

»Sie sprechen nicht einmal von meiner *lieben* Mutter! Immerhin hat sie Sie bei Ihren Dummheiten etwas gebremst.«

Monsieur Jourdain platzt der Kragen: »Die wollte doch nur meinen Ehrgeiz zerstören, nichts weiter.«

»Da tat sie gut daran. Als sie Sie heiratete, waren Sie ein vernünftiger Mann und ein liebenswerter dazu. Wie meine Mutter möchte auch ich einen Mann heiraten, den ich lieben kann.«

»Diesen Cleonte etwa, oder wie immer er heißen mag? Ein Nichts! Ein Niemand! Ich schäme mich sogar, dass ich seinen Namen behalten habe ... Wo war ich doch gerade?«

»In der Tat, Cleonte.«

»Lass dir ein für alle Mal gesagt sein, dass *ich* bestimme, wen du heiratest. Einen Edelmann. Warte nur, aus dir mache ich schon noch eine Gräfin!«

»Als Frau dieses kleinen Trottels, den ich an der Tür traf. Ich hab' gesehen, wie er Ihre Kutsche herbeirief, einstieg und davonfuhr!«

»Ich habe sie ihm geliehen, damit er mir ein paar Besorgungen macht«, platzt Monsieur Jourdain heraus und bildet sich ein, damit einen Trumpf ausgespielt zu haben.

»Er hat versucht, meine Hand zu küssen. Doch ich habe ihm unmissverständlich gezeigt, dass ich darauf verzichte!«

Monsieur Jourdain ist entsetzt, versucht aber seinen Ton zu mäßigen. »Weißt du, wie dumm du dich da verhalten hast? Mein Kind, Graf Dorante ist doch der Schlüssel, der dir Zutritt in eine andere Welt verschaffen kann, in die Welt der feinen Gesellschaft, der Aristokratie, der . . . Monarchie. Hast du deinen Fuß erst einmal in der Tür, kannst du dich des Schlüssels entledigen! Dann führt kein Weg mehr zurück in die Grobheit und Gewöhnlichkeit des gemeinen Volks! Hör mal, bist du dir im Klaren darüber, dass Dorante beim König ein- und ausgeht und Seiner Majestät im Gespräch mit derselben Aufrichtigkeit begegnet, wie sie auch zwischen uns beiden vorherrscht?«

»Haben Sie denn eines dieser Gespräche mit eigenen Ohren gehört?«

»Natürlich nicht. Ich war noch nie in Versailles. Noch nicht, noch nicht!«

»Woher wissen Sie es dann?«

»Von Dorante. Er selbst hat es mir gesagt.«

»Ich gehe jede Wette ein, dass der König noch nie etwas von Dorante gehört hat. Ganz im Gegensatz zu den Besitzern diverser Spielhöllen und Bordelle.«

»Wie kannst du es wagen! Für diese Bemerkung entschuldigst du dich auf der Stelle!«

»Bei wem?«

»Bei mir!«

Jetzt schlägt der Gute einen Ton an, der vor Sentimentalität geradezu trieft:

Nr. 7 Schluss des ersten Aufzuges

»Ach, wenn ich dem Burschen gegenüber so viel Nachsicht zeige, so doch nur, weil ... in gewissem Sinn ... ist er wie ein Sohn für mich, der mir versagt blieb.«

»Ich nehme an, auch dafür machen Sie meine Mutter verantwortlich. Nun, ich glaube, wir sollten beide dankbar dafür sein, dass der kleine Mistkerl nicht der Sohn ist, auf den Sie verzichten mussten; Sie als Vater, ich als Schwester.«

Monsieur Jourdain knurrt wütend: »Das macht ihn zum Kandidaten für einen Ehemann!«

»Niemals!«

»Sag das noch einmal!«

»Niemals!«

»Komm her, meine Tochter, und schau deinem Vater in die Augen!«

Mutlos schüttelt Lucile den Kopf und schickt sich an zu gehen.

Monsieur Jourdain donnernd: »Komm sofort zurück!«

Keine Reaktion ...

Er bringt seine ganze Enttäuschung zum Ausdruck, bis er die Anwesenheit des Orchesters bemerkt: »Was zum Teufel macht *ihr* denn hier, außer Zeugen meiner Erniedrigung zu werden? Ach, ich darf nicht so streng sein. Ihr habt schön gespielt. In der Pause stehen Kaffee und Kekse für

euch bereit, selbstverständlich einen Stock
tiefer.«

2. Akt

Nr. 8 Vorspiel zum zweiten Aufzug
Das Menuett des Lully

Monsieur Jourdain, nach wie vor in Schweinchenrosa, steht vor dem Spiegel und versucht sich in verschiedenen Verbeugungen, übt also die Ankunft der Marquise zum Abendessen: »Madame la Marquise Dorimène, Ihr ergebenster Diener und Sklave, ganz gleich, welcher Laune Sie sich auch hingeben mögen, ein freudig unterdrückter Mann . . . Nein, das ist womöglich zu dick aufgetragen. Und ihren Namen sollte ich vielleicht auch weglassen. Schließlich weiß sie so gut wie ich, wie sie heißt. Aber immerhin ein Pluspunkt! Die Federn auf meinem Hut flattern durch die Luft, wenn ich ihn schwenke, dessen bin ich gewiss. Genau die erwünschte Wirkung . . . Noch einmal das Ganze . . . Madame la Marquise, gestatten Sie mir mein Entzücken zum Ausdruck zu bringen, Sie in meinem Heim willkommen heißen zu dürfen. Seien Sie versichert, dass alles, was sich heute Abend hier ereignet, zu unserer beiderseitigen Zufriedenheit ausfallen wird ...

Nein, das ist zu selbstsicher, zu ungehobelt, ja fast kommerziell. Alles das, was ich unter Mühen versuche abzulegen. Das Wichtigste ist, dass das Kätzchen bis zum Augenblick der Verführung im Sack bleibt.«

Er übt noch einige Varianten seiner Verbeugungen und grummelt vor sich hin. Es treten die Lakaien ein, verharren und wagen es nicht, ihn bei seiner Beschäftigung zu unterbrechen.

Monsieur Jourdain wird ihrer ansichtig und gerät in Zorn. »Was zum Teufel glotzt ihr so blöd? Habe ich euch etwa gerufen? Oder was?«

Die Lakaien nicken einander zu, wer zuerst reden soll. Diese Unsicherheit der beiden führt nur zu einer weiteren Pause ...

Nr. 9 Auftritt des Cleonte

Zwei Herren in exotischer Kleidung und von dunkler Hautfarbe treten ein. Der eine ist mit Juwelen buchstäblich übersät.

Monsieur Jourdain fällt beim Anblick der fremden Männer das Herz in die Hose, seine Hand ergreift in Windeseile den Griff seines Rapiers.

»Wer sind Sie?« fragt er. »Eifersüchtige Liebhaber? Die Marquise und ich sind nur gute Freunde, ich schwöre es!«

Fortsetzung der Musik

Die beiden Fremden sind niemand anders als Cleonte, der Geliebte von Jourdains Tochter, und dessen Diener Covielle.

Cleonte: »Ambusahim oka boraf, Jardina salamaleki.«

Covielle dolmetscht: »Monsieur Jourdain, möge Ihr Herz jahrein, jahraus glitzern wie der Morgentau auf den Blütenblättern einer karmesinroten Rose. – Das ist ein gutes Beispiel für eine umgangssprachliche Untertreibung im Türkischen.«

»Türkisch?« Monsieur Jourdain stutzt.

Covielle fährt fort: »Ich bin der persönliche Assistent von Osman Birindi Pascha, Paladin des Ottomanischen Reiches, seines Zeichens Sohn und Erbe von Sultan Ibrahim dem Wahnsinnigen.«

Der juwelengeschmückte Türke spricht wie in Trance: »Asmut Egsin Hakimnesi Aliorum Kapitoglu.«

»Der Prinz erblickte Ihre Tochter beim Einkaufen, und sofort begann sein Herz wie ein eben erst gefangener Tiger gegen seinen Brustkorb zu pochen. Dann folgten wir Ihrer Kutsche bis zu dieser Adresse. Er möchte um ihre Hand anhalten. Und zwar sofort.«

Monsieur Jourdain stammelt erregt: »Sohn und Erbe? Türkei?«

Unvermittelt befiehlt er den Lakaien: »Holt meine Tochter, rasch!«

Während man auf Lucile wartet, ergreift Cleonte wieder das Wort: »Alamaddin bagwan tecemektek Imsun.«

Covielle dolmetscht: »Seine Eminenz beglückwünschen Sie zu Ihrem netten kleinen Anwesen in dem Bewusstsein, wie schwierig es für Sie sein muss, in so bescheidenen Verhältnissen zu leben.«

»Das ist nicht mein einziges Haus«, entgegnet Monsieur Jourdain mit verzerrtem Lächeln, »weiß Gott, nein. Es ist das kleinste von mehreren anderen.«

Lucile betritt zusammen mit dem Dienstmädchen Nicole die Szene. Lucile ist schlecht gelaunt: »Was gibt es denn, Vater? Ich hoffe, Sie haben gute Gründe, mich bei meinen Näharbeiten zu stören.«

»Meine Tochter, uns wird heute Abend die Ehre königlichen Besuchs zuteil. Dieser Herr hier ist niemand anders als . . .« Hilflos und nach einer peinlichen Pause wendet er sich an Covielle: »Bitte sagen *Sie* es ihr!«

»Dieser Herr ist niemand anderes als seine Eminenz Osman Birindi Pascha, Paladin des Ottomanischen Reiches, seines Zeichens Sohn und Erbe von Sultan Ibrahim dem Wahnsinnigen. Er studiert die hiesigen Tischsitten. Wir sahen Sie, gnädiges Fräulein, beim Einkaufen durchs Fenster, und mein Herr war hingerissen von Ihrer überwältigenden Schönheit.«

Cleonte spricht langsam, aber mit Nachdruck: »Agadir Emlep Gürgürotep Bouzloup.«

»Seine Eminenz beschreiben Ihre Brüste als zwei Sahnetöpfchen, von denen jedes mit einer Erdbeere gekrönt ist.«

»Unverschämtheit!«

»Das müsste, im Gegensatz zu Prosa, Dichtung sein«, bemerkt Monsieur Jourdain. Nicole wird erneut von Lachen geschüttelt.

»Aber, aber, ich muss doch sehr bitten! Dummes Gekichere in Anwesenheit einer königlichen Durchlaucht. Das ist der Gipfel der Geschmacklosigkeit!« tobt Monsieur Jourdain.

Nicole flüstert ihrer Herrin etwas ins Ohr. Luciles Gesichtsausdruck verändert sich. Auch sie lacht, aber diskret: »Covielle?« flüstert sie.

Covielle gestikuliert, sie möge sich beherrschen, nickt ihr aber zu.

»Und ... Cleonte?«

»Ürügut Imshah Kabalbar.«

Covielle dolmetscht: »Zwischen den Zweigen der Seele seiner Eminenz schüren Sie ein Freudenfeuer!«

»Ich bin zutiefst gerührt. Und was sagte er über meinen Busen?«

»Agadir Emlep Gürgürotep Bouzloup.«

Monsieur Jourdain ist fasziniert: »Euer Eminenz haben ihre Frage verstanden?«

»Die Liebe schärft das Wahrnehmungsvermögen«, sagt Covielle rasch und fügt hinzu: »Die Hochzeit muss morgen vollzogen werden.«

»Morgen?« fragt Monsieur Jourdain wie vom Donner gerührt. »Meine Tochter hat ihren eigenen Kopf. Ich erwarte eigentlich nicht, dass sie sich ohne Widerspruch meinen Wünschen beugt. Sie kennen bislang nur ihre körperlichen Vorzüge. Irgendwann werden Sie auch den Rest zu würdigen wissen.« Ein tiefer Seufzer entringt sich seiner Brust.

»Ich habe nachgedacht, Vater.«

»Wie bitte? Was habe ich getan, dass du dir über mich Gedanken machst?«

»Morgen Hochzeit zu feiern ist etwas plötzlich nach nur eintägiger Verlobungszeit, doch nach anfänglichen Bedenken bin ich jetzt zu der Erkenntnis gelangt, dass es dumm war, nicht auf dich zu hören.«

»Ich traue meinen Ohren nicht!«

Nicole schüttelt sich vor Lachen. Mit einer entschiedenen Geste schickt Lucile Nicole in ihre Gemächer zurück. »Ja, es beschäftigt mich, dass ich offenbar auf jeden Ihrer Vorschläge mit Zurückweisung reagiere und nicht daran denke, dass Sie älter und klüger sind als ich und dass Sie am besten wissen, was in meinem Interesse liegt.«

Monsieur Jourdain ist den Tränen nahe. »Ich kann es einfach nicht glauben! Was ist der Grund für diesen deinen überraschenden Gesinnungswandel?«

»Vielleicht die Liebe . . .«

»Auf den ersten Blick?«

»Auf den zweiten. Ich habe beobachtet, wie er mich beim Kurzwarenhändler durchs Fenster beäugte. Werden Sie mich in Konstantinopel besuchen kommen?«

»Wo?«

»In der Türkei.«

»Um dich zu besuchen, meine allerliebste Tochter, würde ich sogar nach Belgien reisen. Bitte richte Seiner . . . Seiner . . .«

»Eminenz . . .«

» . . . Eminenz aus, dass wir mit Ihrem Vorschlag einverstanden sind. Die Mitgift ist kein Problem, da ich wohlhabend bin.«

Covielle spricht zum Prinzen: »Cavilar Caboto Ustin Mozaf.«

Cleonte erwidert: »Ustin joc Salamaleki basum basal alla amoram.«

Covielle dolmetscht: »Er sagt, möge der Himmel Ihnen die Kraft des Löwen und die Schlauheit der Schlange angedeihen lassen, lieber Schwiegervater.«

Monsieur Jourdain wischt sich die Augen. Er ist überwältigt von seiner eigenen Glückseligkeit.

Cleonte erhebt warnend den Finger: »Belmen«, sagt er in würdevollem Ernst.

»Ja«, dolmetscht Covielle, »Seine Eminenz bestehen darauf, dass die Hochzeit absolut geheim bleiben muss, da es politische Faktoren gibt von solcher Komplexität, dass sie an dieser Stelle von mir gar nicht enthüllt werden können. Die Zeremonie wird morgen früh hier stattfinden, und zwar nach türkischem Ritus.«

»Und alles das war in dem einzigen Wort enthalten?«

»Die türkische Sprache kann viel mit einem einzigen Wort ausdrücken. Ein Politiker kann sie jedoch auch dazu missbrauchen, trotz eines gewaltigen Wortschwalls überhaupt nichts zu sagen.«

»Darf ich Eurer Eminenz den Vorschlag

machen, die Zeremonie in einem meiner Landhäuser abzuhalten, das sich nur gut zehn Kilometer außerhalb von Paris befindet? Damit könnten wir zwei Fliegen mit einer Klappe schlagen: Zum einen wäre die Geheimhaltung garantiert, zum anderen kann ich Ihnen damit eindeutig beweisen, dass ich noch weitere Häuser besitze.«

Die beiden haben bemerkt, dass sich Cleonte und Lucile leidenschaftlich umarmen.

»Was für ein wunderbarer Anblick«, schwärmt Monsieur Jourdain.

Die Liebenden lösen sich voneinander.

Beim Abschied meint Cleonte sehr gefühlsbetont: »Adgarin Süsük Bahti Olmetin!«

Covielle dolmetscht: »Bis morgen!«

Monsieur Jourdain wirft einen Blick auf seine Tochter und runzelt die Stirn: »Warum ist die Hälfte deines Gesichts so dunkel?«

Lucile ist verwirrt: »Wie? Ach, das muss die Farbe meiner Wimperntusche sein.«

Nr. 10 Intermezzo

*Ein Lakai meldet: »Der Herr Graf mit einer
Dame fahren gerade vor.«*
*Jourdain: »Oh, mein Gott! So öffne doch, du
Dummkopf!«*

Während des Intermezzos hat sich Monsieur Jourdain in seine erbsengrünen Kleider geworfen. Er tritt auf, und einer der Diener nebelt ihn mit einer Parfümwolke ein, während er sich langsam um sich selbst dreht, um so verschiedene Partien seines Körpers der Wolke zugänglich zu machen.

Der zweite Lakai kündigt an: »Madame la Marquise Dorimène du Dortoir! ... und Monsieur le Comte Dorante de la Vilipenderie!«

Monsieur Jourdain verlangt nach seinem Hut. Eine kleine Pause entsteht, während der Diener Nummer eins ihn holt ... Allgemeine Verlegenheit und taktvolles Gehüstel. Sobald der Hut da ist, stellt sich Monsieur Jourdain mit angemessenem Beinabstand in Pose, prüft ein-, zweimal die Beweglichkeit der Federn und nimmt die Grundposition zur Begrüßung ein.

»Ehrenwerte Madame«, beginnt er, »es ist eine große Ehre für meine Wenigkeit, Sie hier in meinen Gemächern begrüßen zu dürfen, die Ihrer Ehrerbietung nicht würdig sind, indem dass Sie diesen dadurch mehr als bloße Ehre erweisen, dass Sie sich dazu herablassen, diesen durch Ihre Gegenwart Ihre Gunst zu schenken und dadurch mir eine ebensolche, wenn nicht gar ähnliche oder identische Ehre zuteil werden lassen.«

Die Marquise ist durcheinander: »Sind Sie Rechtsanwalt, mein Herr? Sie reden wie einer?«

Dorante: »Oh nein, das ist mein zweiter Vater, ich hab' Ihnen doch von ihm erzählt.«

Während die Marquise sich vor dem Spiegel zurechtmacht, wobei sie dem Diamantring an ihrem Finger, offenbar ein Neuerwerb, besondere Aufmerksamkeit zukommen lässt, nimmt Dorante Monsieur Jourdain beiseite: »Das war hervorragend.«

»Meinen Sie wirklich?«

»Aber ja doch, aber vergessen Sie nicht: Kein Wort über den Ring!«

»Wie? Ich darf sie nicht einmal fragen, ob er ihr gefällt?«

»Unter gar keinen Umständen!«

»Warum denn nicht?«

»Das Protokoll«, fährt ihn Dorante an, »in königlichen Kreisen ist es der Gipfel der Ungezogenheit, die Aufmerksamkeit auf Geschenke zu lenken, die man selbst gemacht hat.«

»Tatsächlich?« Eine unbekannte Welt gibt hier vor Monsieur Jourdain ihre Geheimnisse preis.

»Vielen Dank«, flüstert er Dorante zu, »seien Sie doch so freundlich, so oft es geht, für mich zu sprechen, damit ich nicht ins Fettnäpfchen trete.«

»Worauf Sie sich verlassen können, das empfinde ich quasi als meine Pflicht«, erwidert Dorante.

Dankbar drückt ihm Monsieur Jourdain die Hand.

Der erste Lakai tritt auf und verkündet: »Es ist angerichtet, meine Herrschaften!«

Vier Köche tragen einen Tisch mit drei

Gedecken ins Zimmer. Es kommt zu einer kurzzeitigen Verwirrung, denn Monsieur Jourdain beansprucht den Platz zwischen der Marquise und dem Grafen Dorante. »Ich möchte unmittelbar neben meinem Gast sitzen.«

»Völlig ausgeschlossen.«

Monsieur Jourdain gerät aus der Fassung. »Aber wieso?« beharrt er wie ein verzogenes Kind und fügt hinzu: »Das Protokoll?«

»Genau das! Da ich die Marquise hier eingeführt habe, gebührt mir der Platz in der Mitte.«

Sie setzen sich endlich. Monsieur Jourdain ist verärgert, fügt sich aber darein. Die einzelnen Gänge des Diners werden von den Lakaien mit lauter Stimme angekündigt.

Nr. 11 Das Dîner

»*Lachs aus dem Unterlauf des Rheins, in einer Hülle aus Weinblättern von den benachbarten Weinbergen mit den dazugehörigen Reben. Als Tischwein: Liebfrauenmilch, Spätlese.*«

116

»Ich bin sehr angetan, verehrter Graf, von der Güte des Essens, das mir hier vorgesetzt wird«, flötet die Marquise.

»Man tut, was man kann«, erwidert Dorante und versetzt Monsieur Jourdain unter dem Tisch einen Tritt.

»Ich hoffe sehr, Madame, dass es Ihren Inspektationen entspricht«, fügt Monsieur Jourdain demütig hinzu.

»In jeder Hinsicht.«

»Zweiter Gang: Hammelfleisch vom Spieß nach Windmühlenart. Wein: ein Rioja aus la Mancha, Jahrgang 1592 ... ein besonders guter Tropfen.«

Entzückt wirft die Marquise die Hände in die Luft: »Was für ein Festmahl!«

»Und was für weiße Hände«, erwidert Monsieur Jourdain, »ich habe noch nie weißere gesehen! Wie ... Kreide!«

»Kreide? Oh nein, mein lieber Freund, dieser Vergleich entbehrt nicht eines gewissen Hinweises auf die Vergänglichkeit!« ruft die Marquise. »Meine Hände sind nichts angesichts dieses Diamantrings, der sie ziert.«

Spannung zwischen Monsieur Jourdain und Dorante ...

Jourdain: »*Ihre Meinung in Ehren, gnädige Frau, ich persönlich bin jedoch der Auf-
fassung, dass Ihre Hände wundervoll sind, so
dass der Diamantring eher gewöhnlich wirkt.
Schließlich stammen diese von Gott dem
Herrn selbst, während jener von unterbezahl-
ten Bergleuten zu Tage gefördert und von verkommenen Kaufleuten verschachert wurde.*«

Dorimène wendet sich an Dorante: »*Eigentlich bin ich diesen verkommenen Kaufleuten dankbar und dem, der sie mich vergessen ließ . . .*«

»*Dritter Gang: Ausgewählte Drosseln und
Lerchen im Thymian- und Salbeibett, ge-
schmort à la Savoranola. Der Wein: ein Pro-
secco Bel Chianto.*«

Dorimène, kokettierend zu Dorante: »*Das
Essen, der Wein, die Musik, alles wird mir in
lebhafter Erinnerung bleiben, mein lieber
Freund.*«

*Das Durcheinander der Weine hinterlässt
bei Monsieur Jourdain deutliche Spuren.
*»*Ich habe hier noch etwas Hübscheres vor
mir*«, platzt er heraus.

»*Oh, welche Galanterie, mein teurer Monsieur.*«

118

Dorante ist ungehalten: »Diese Bemerkung als Galanterie zu verstehen, mein lieber Freund, heißt meinen Gönner nicht zu kennen.«

Monsieur Jourdain höhnisch: »Der liebe Freund wird mich besser kennen lernen, sobald sie nur will ...«

Dorante: »Verstehen Sie endlich?«

»Ausklang: Omelette Surprise, in Portwein schwimmend.«

Die vier Köche fahren ein gewaltiges Omelett auf einem Serviertisch herein. Unter dem vergnügten Gekreische der Marquise platzt das Omelett auf ... herausstürzt ein winziger Küchenjunge mit weißer Mütze und Schürze.

Ein Glas Portwein in der Hand haltend, mimt er einen Trunkenbold, welcher kräftig dem Alkohol zuspricht und lustig auf dem Tische tanzt ...

Der Küchenjunge ist hinter den Kulissen verschwunden. Dorimène jubiliert: »Was für eine gelungene Überraschung!«

Monsieur Jourdain ist fast krank vor Freude.

Dorante ist nüchtern: »Ist Ihnen denn der Symbolgehalt des Tanzes entgangen, meine Verehrte?«

»Mitnichten, lieber Graf, ich danke für den wunderbarsten Abend meines Lebens.«

»Trotzdem denke ich, dass er noch nicht seinen endgültigen Lauf genommen hat. – Es gilt, andere Aktivitäten ins Auge zu fassen.«

Monsieur Jourdain bekommt trotz seines Ausbruchs von Frohsinn die letzte Bemerkung mit und echot: »Andere Aktivitäten?«

Einer plötzlichen Eingebung folgend, stürzt er sich auf die Marquise, nimmt sie am Arm und gibt ihr mit leidenschaftlichem Appetit einen Handkuss.

Dorante wittert Gefahr und wendet sich an die Musiker: »Die Courante, schnell!«

Nr. 12 Courante (in Canonform)

Monsieur Jourdain hebt, leicht angeheitert, vor Überraschung den Kopf.

»Zeit für die Courante, mein lieber Zweitvater«, meint Dorante.

»Courante?«

120

»Am königlichen Hofe gehört es zum Protokoll, nach dem Omelette Surprise eine Courante zu tanzen. Das ist gut für die Verdauung und erfrischt den Geist.«

Monsieur Jourdain, auf einmal wieder in der Defensive: »Protokoll?« fragt er verunsichert.

Die beiden anderen nehmen ihn an der Hand, und alle drei tanzen nach dem lebhaften Rhythmus.

Plötzlich packt Dorante und Dorimène der Übermut, sie geraten aus dem Takt und wirbeln Monsieur Jourdain um die eigene Achse. Ihm wird schwindlig, er verliert fast

121

das Gleichgewicht, prallt gegen eine Wand,
schwankt und sinkt auf einen Stuhl.

Der Alkohol zeigt immer noch Wirkung.
Monsieur Jourdain sieht sich um.

»Wo sind sie denn geblieben? Verschwunden.« Er lächelt: »Ich glaube, ich
habe einen guten Eindruck auf sie gemacht.
Nun, wenn nicht heute Abend, so vielleicht
an einem anderen Abend. Allerdings, so
ganz im Vertrauen zu mir selbst, eigentlich
sieht sie besser aus, je weiter man von ihr
entfernt ist, und da stimmt doch etwas
nicht. Liegt also an mir, herauszufinden,
was es ist. Macht sie die Tatsache, dass es
sich um eine Marquise handelt, so attraktiv?
Wäre sie lediglich ein Zimmermädchen,
würde ich sie wohl keines Blickes würdigen!
Andererseits, und das ist der Haken, ist sie
ja kein Zimmermädchen.

Wie dem auch sei, ich habe allen Grund,
zufrieden zu sein: Meine Tochter ist wun-
dersamerweise gehorsam geworden und
steht vor der Hochzeit mit dem Großwesir
aus Dingsda. Schon diese Verbindung allein
könnte mir die Pforten von Versailles öff-
nen, als Botschafter etwa ... Wer weiß? Der

junge Bursche braucht rund um die Uhr einen Dolmetscher, und, daran kommen wir nicht vorbei, bei Hofe spielt es keine große Rolle, *was* man sagt, sondern *wie* man es sagt.

Ach, ich glaube, ich habe da eine Wahrheit begriffen … (*in stillem Zorn*) Was mir fehlt, ist dieses Selbstbewusstsein, diese stille Arroganz … die oberflächliche Beurteilung wichtiger Themen … der Kult gelehrsamer Unwissenheit.

Nr. 13 *Schluss des zweiten Aufzuges*

Oh, ich gäbe zwei Finger von jeder Hand, wenn ich als Graf oder Marquis auf die Welt gekommen wäre … von Geburt an mit all diesen seltsamen Angewohnheiten ausgestattet … Ich muss mir alles hart erarbeiten.

Oh, dieser Wein! Immer so tun müssen, als würde ich gerne trinken! Und mit einer toten Lerche herumhantieren, um auch nur das kleinste bisschen essbaren Fleisches zu ergattern.

Oh Gott! (er rülpst) … Verzeihung! Wie in alten Zeiten … Allein mit zwei Dienern,

vier Köchen und einem Haufen Musiker...
ich bin das überhaupt nicht gewohnt ...

Allein ... niemand, bei dem ich mich ent-
schuldigen müsste, wegen meiner Gase...
(rülpst erneut)

Na, besser, ich entschuldige mich trotz-
dem ...Verzeihung!

Man weiß ja nie ... (ein Nachgedanke) ...
Protokoll.«

3. Akt

Nr. 14 Vorspiel (à la Sicilienne)

Der nächste Tag. Im geräumigen Wintergarten des Landhauses von Monsieur Jourdain sind die Vorbereitungen in vollem Gange für die Errichtung eines türkischen Pavillons sowie eines Zeltes beziehungsweise Bethauses mit zahlreichen Alkoven. Viele Räucherstäbchen schicken ihren Rauch spiralförmig in die Luft.

Die Arbeiten, an denen das gesamte Personal von Monsieur Jourdains Haushalt beteiligt ist, stehen unter der Leitung von Covielle als Aufseher.

Nr. 15 Melodram

Im Vordergrund sitzt Monsieur Jourdain auf einer orientalischen Brücke, er leidet an einem außerordentlichen Kater...

Covielle verlässt seine Mitarbeiter und nähert sich Monsieur Jourdain...

Dieser fragt leise und matt: »Müssen die Räucherstäbchen wirklich sein? Bei diesem Geruch dreht es mir in meinem Zustand den Magen um!«

Covielle, bedauernd: »Das gehört nun mal zu einem ottomanischen Reinigungsritual, bevor wir Sie in den Stand eines Mamamouschi erheben.«

»In den Stand eines was? Ich dachte, ich bin hier wegen der Hochzeit meiner Tochter. Eine rasch hingekritzelte Unterschrift durch einen Rechtsanwalt, und ich kann wieder zurück ins Bett, wo ich hingehöre.«

»Ihre Tochter kann erst dann einen Paladin heiraten, wenn ihr Blut geadelt wurde. Und dies ist nicht eher möglich, als bis das Ihre in den Adelstand erhoben wurde. Deshalb die Notwendigkeit, Sie zu einem Mamamouschi zu machen.«

»Wie adelt man denn Blut? Ist das schmerzhaft?«

»Das hängt von den Anweisungen der Geister ab.«

»Der Geister? Wo sind sie denn?« Monsieur Jourdain sieht sich um. Er fährt zusammen. Die erforderliche Mühe beunruhigt ihn.

Covielle zaubert eine Kristallkugel aus der Tasche: »Zur Zeit sind sie da drin.« Er wirft einen tiefen Blick in die Kugel: »Wie haben Sie geschlafen?«

Monsieur Jourdain, niedergeschlagen: »Ich konnte gar nichts anderes als gut schlafen. Ich hab' es nicht mehr ins Bett geschafft, so dass ich die Nacht auf dem Fußboden verbrachte.«

Covielle, erregt: »Auf dem Fußboden? Das ist ein hervorragendes Zeichen!«

»Hervorragend?«

»Ja!« Covielle starrt konzentriert in die Kugel: »Hatten Sie Schmerzen in den Beinen?«

»Nein, nicht dass ich es wüsste. Oh doch, ich hatte Krämpfe während der Courante nach dem Essen.«

»Eine Courante?«

»Gehört zum Protokoll.«

»Im linken Bein?«

»Ja, ja, das linke Bein.«

»Ausgezeichnet! Die Geister sind bereit, sich zu manifestieren.«

»Ich hoffe nur ...«

»Was?«

» ... dass die Geister derselben spirituellen Ebene angehören wie jener, der ich gern in der materiellen Welt angehören würde.«

»Was meinen Sie damit?«

»Ich vertraue darauf, dass es sich dabei um spirituelle Prinzen, Grafen, Herzöge und Mamamouschis handelt!«

Covielle streng: »Man legt an Geister keine derart weltlichen Maßstäbe an!«

Eine orientalische Fee tanzt mit einem Spiegel herein.

Covielle spricht mit Autorität: »Schauen Sie in den Spiegel, sobald die Fee ihren Tanz beendet hat!«

Monsieur Jourdain gehorcht und schreit laut auf.

»Was ist los?«

»Ich schaue fürchterlich aus!«

»Es ist ein Zerrspiegel, deshalb.«

»Wie? Das glaube ich nicht. Das bin ich. Ich strecke die Zunge heraus und sehe, dass sie belegt ist und wie eine Winterlandschaft aussieht. Ich habe geschrien, weil ich mich selbst in diesem fetten und kränkelnden Mann wieder erkannt habe ...«

»Niemand sonst sieht Sie aber so. Es ist ein Zerrspiegel. Hier ist der richtige.«

Aus dem Zelt tauchen zwei weitere Feen auf, die tanzend zwischen sich einen manns-großen Spiegel halten ...

Als sie zu tanzen aufhören, stößt Monsieur Jourdain erneut einen Schrei aus: »Das ist der Zerrspiegel!« ruft er.

»Nein, das ist der echte Spiegel!« beharrt Covielle. »Was sehen Sie?«

»Einen Mann mit einem Schädel so winzig wie ein Stecknadelkopf und einem riesigen Wanst, Taschen so groß wie Satteltaschen und klitzekleinen Füßen.«

»So werden Sie von jenen gesehen, die sich Geld von Ihnen borgen wollen. Und jetzt?«

129

Auf ein Zeichen hin verändern die Feen den Winkel, in dem sie den Spiegel halten.

»Halt! Halt!« brüllt Monsieur Jourdain. »Meine Stirn sieht aus wie die eines Pferdes, meine Perücke ist fast verschwunden, ich habe eine große Adlernase, die Nasenflügel sind gebläht, die Nasenspitze starrt in die Luft.«

»So möchten Sie, dass andere Sie wahrnehmen, als Aristokraten der höchsten Kreise.«

Ein weiteres Zeichen, und die Feen verändern den Winkel des Spiegels noch einmal.

Monsieur Jourdain stöhnt: »Oh nein! Wurstfinger wie eine Bananenstaude, über und über mit glitzernden Ringen geschmückt, gewaltige Füße in Tanzschuhen, Knie wie Knoten auf einer Schnur, der Kopf so breit und flach wie ein Kissen, das Gesicht von einem törichten Grinsen entstellt.«

»So erscheinen Sie den Mitgliedern des Adels, als Gipfel plebejischer Ungehobeltheit.«

Die Feen entfernen sich tanzend.

Monsieur Jourdain sinkt auf seinen Stuhl zurück.

»Die Geister haben gesprochen!«

130

Monsieur Jourdain, leise: »Ich habe gar nichts gehört, nicht einmal ein Flüstern. Absolut nichts.«

Covielle beschwichtigt ihn: »Sie werden sie oft genug hören, sobald Sie ein Mamamouschi geworden sind, vorher nicht.«

»Und wann wird das sein?«

»Die Zeremonie folgt auf die Hochzeit.«

»Ich dachte ... sagten Sie nicht, die Hochzeit könne erst stattfinden, nachdem ich ein Mamamouschi geworden bin?«

»Ein Paladin hat die Macht, die Regeln zu ändern.«

Als Monsieur Jourdain etwas sagen will ...

»Ruhe!«

Die beiden Lakaien sprechen wie aus einem Munde: »Die Türkische Zeremonie, mit Ihrer Erlaubnis, Jourdain Pascha.«

Sechs Türken treten auf, halten drei heilige Teppiche in die Höhe. Tanzende Derwische wirbeln ins Zimmer. Der Letzte von ihnen reißt Monsieur Jourdain aus seinem Sessel, der nun gezwungen ist, mit den Derwischen zu tanzen. Es beginnt die lange Zeremonie der Blutreinigung.

Nr. 16 Die türkische Zeremonie

Der Mufti   zu Herrn Jourdain
Se ti sabir,
Ti respondir;
Se non sabir
Tazir, tazir.
Mit star Muphti
Ti qui star si?
Non intendir;
Tazir, tazir.

Der Mufti   *Dice, Turque, qui star quista?*
Anabatista?
Anabatista?

Die Türken	*Joc.*
Der Mufti	*Zuinglista?*
Die Türken	*Joc.*
Der Mufti	*Coffita?*
Die Türken	*Joc.*
Der Mufti	*Hussita? Morista?* *Fronista?*
Die Türken	*Joc, joc, joc.*
Der Mufti	*Joc, joc, joc. Star pagána?*
Die Türken	*Joc.*
Der Mufti	*Luterana?*
Die Türken	*Joc.*
Der Mufti	*Puritana?*
Die Türken	*Joc.*
Der Mufti	*Bramina? Moffina?* *Zurina?*
Die Türken	*Joc, joc, joc.*
Der Mufti	*Joc, joc, joc. Mahametana?* *Mahametana?*
Die Türken	*Ei Vallah, ei Vallah!*
Der Mufti	*Como chamara? Como* *chamara?*
Die Türken	*Giordina, Giordina.*
Der Mufti	*Giordina, Giordina!*
Die Türken	*Giordina, Giordina!*
Der Mufti	*Mahameta, per Giordina,* *Mi pregar sera e matina.*

133

Voler far un paladina
De Giordina; de Giordina;
Dar turbanta, et dar scarrina,
Con galera e brigantina,
Per deffender Palestina.
Mahameta, per Giordina,
Mi pregar sera e matina.
Star buon Turca Giordina?

Die Türken   *Ei Vallah, ei Vallah!*

Der Mufti   *Allah, baba, hu. Allah, baba, hu.*

Die Türken   *Allah, baba, hu. Allah, baba, hu.*

Der Mufti   *Hu!*

Die Türken   *Hu! Hu! Hu!*

M. Jourdain   *Au!*

Der Mufti   *Ti non star furba?*

Die Türken   *No, no, no.*

Der Mufti   *Non star forfanta?*

Die Türken   *No, no, no.*

Der Mufti   zu den Türken
              Donar turbánta.

Die Türken   *Ti non star furba?*
              No, no, no.
              Non star forfanta?
              No, no, no.
              Donar turbanta!

Der Mufti	reicht Herrn Jourdain den Säbel
	Ti star nobile, non star
	fabbola.
	Pigliar schiabbola.
Die Türken	ziehen ihre Säbel
	Ti star nobile, non star
	fabbola.
	Pigliar schiabbola.
Der Mufti	*Dara, dara*
	Bastonnara.
Die Türken	*Dara, dara*
	Bastonnara.

Die tanzenden Türken geben nach dem Takt Herrn Jourdain Stockschläge.

Der Mufti	*Non tener honta,*
	Questa star l'ultima affronta.
Die Türken	*Non tener honta,*
	Questa star l'ultima affronta.

Nachdem die Derwische ihren Tanz beendet haben, lassen sie Monsieur Jourdain los, der wie ein nasser Sack auf den Boden plumpst.

Die Teppiche werden ausgelegt. Man holt Lucile und Cleonte, die sich auf einen Teppich knien, das Gesicht einander zugewandt. Die beiden sind unter einem Schleier verborgen. Ein Mufti, über das Paar gebeugt, spricht murmelnd ein paar heilige Worte.

Monsieur Jourdain erholt sich langsam von den Strapazen. Er flüstert: »Ich dachte, nur die Frauenzimmer tragen einen Schleier.«

»Es ist Sitte, dass bei dieser Zeremonie beide Geschlechter verschleiert sind«, erklärt Covielle, »so müssen sie sich quasi blind aufeinander zutasten, ein Symbol für die Schwierigkeiten des Lebens, die es zu überwinden gilt.«

Monsieur Jourdain fügt hinzu: »Ich weiß schon, das Protokoll.«

Die Brautleute nähern sich einander auf den Knien und rudern mit den Armen in der Luft. Zur Freude aller finden sie einander und nehmen sich in die Arme.

Cleonte, noch ganz verschleiert, hält einen Augenblick lang Distanz zu seiner Zukünftigen und sagt: »Abala crocain acci baram alabamen.«

Covielle erwidert feierlich, seine Worte sorgsam wählend: »Catalegmi tubal ourin soler amaluschan.«

Die Derwische applaudieren.

Covielle dolmetscht für Monsieur Jourdain: »Der Paladin wünscht, dass der sanfte Regen des Wohlbefindens das grüne Gras der Familienharmonie wachsen lassen möge.«

Monsieur Jourdain erwidert: »Wie freundlich von ihm, doch möge das junge Paar nun vortreten, man lege Kissen zu meiner Rechten und Linken aus und entschleiere die beiden, bevor sie den Tod durch Ersticken erleiden.«

Nr. 17 Schluss des 3. Akts

Jourdain   *Mahameta per Giordina*
Voler far un paladina
Per deffender Palestina.

Als Erstes wird der Schleier von Lucile genommen.

Lucile nimmt die Hand ihres Vaters: »Papa, liebster Papa, ich werde diesen Augenblick mein ganzes Leben lang niemals vergessen. Mein Glück ist der grenzenlosen Güte Ihres Herzens zu verdanken.«

»Dich lächeln zu sehen, liebste Lucile, ist

ein Geschenk des Himmels. Ich fühle mich zurückversetzt an den wunderbaren Tag meiner eigenen Hochzeit. Durch dein Lächeln bist du ein genaues Ebenbild deiner lieben Mutter!«

Auch Cleonte wird entschleiert.

Monsieur Jourdain meint: »Wie blass Sie doch geworden sind, junger Paladin. Ist es, weil Sie sich gegen meine Autorität zur Wehr gesetzt haben?«

Cleonte lächelt: »Eurer Autorität beuge ich mich mit heiterer Gelassenheit, und beide versichern wir Sie unserer Zuneigung und Ergebenheit bis ans Ende Ihrer Tage.«

»Oh, danke, dass Sie mich daran erinnern. Darf ich mir die Bemerkung erlauben, dass ich Sie beglückwünschen möchte: Sie haben unsere Sprache über Nacht erlernt!«

Covielle fragt taktvoll: »Wünschen Sie immer noch, ein Mamamouschi zu sein?«

»Das wird nicht notwendig sein«, entgegnet Monsieur Jourdain, »ich habe das Gefühl, dass ein solcher Titel in Versailles nicht viel zählen wird.«

»Und in Konstantinopel auch nicht«, ergänzt Covielle. »Nun, da unser Versteckspiel vorbei ist, was sagen Sie dazu?«

»Was ich dazu sage? Muss wohl eine Menge Geld gekostet haben, wenn ich bedenke, dass Sie wahrscheinlich einen Weg gefunden haben, mich für das ganze Spektakel bezahlen zu lassen.«

»Sie sind auf dem besten Wege, Ihren gesunden Menschenverstand wiederzugewinnen, Monsieur Jourdain.«

»Gesunden Menschenverstand? Na, ich weiß nicht so recht«, sinniert Monsieur Jourdain. »Wer hat schon alle Tassen im Schrank in dieser grausamen Welt, in der die niederen Instinkte nur durch die Gewalt der unteren Schichten und durch Gott den Herrn bei den Herrschaften in Schach gehalten werden. Man bringe mir den Spiegel, und zwar den, der uns so zeigt, wie andere uns sehen.«

Die Feen kommen ein weiteres Mal mit dem Spiegel hereingetanzt und singen ein Madrigal.

Die Feen   (zu dritt)
             Vertraue hohem Stern,
             vertraue kühnem Glück,
             der Geisterspiegel lügt dir nicht,
             nicht lügt der trunkne Blick!

Ist denn nicht jeder Glanz
und jede Seligkeit
ein Spiegeltraum wie der?
Ergreife den und sei's
der reichbeschenkte
sanftgewiegte,
der Lieblingssohn des Glücks!

Willst du schon hoch hinaus,
so sei den Höchsten gleich!
sei gleich dem Throne nah!
sei gleich gestillt
im tiefsten Drang!
in diesem einen Blick
nimm alles hin!

Vertraue kühnem Blick,
ihn halte ewig fest!

Monsieur Jourdain baut sich vor dem Zerr-
spiegel auf und zwingt Lucile und Cleonte
dazu, ihn zu begleiten. Diesmal brechen sie
in schallendes Gelächter aus angesichts des-
sen, was sie da sehen. Er legt ihre Hände in-
einander und entlässt sie liebevoll.

Er wendet sich an Covielle: »Es ist entsetz-
lich anstrengend, nicht man selbst zu sein. Es

verkürzt das Leben. Aber man kann aus einem Menschen keinen völlig anderen machen. Ich werde es immer bedauern, nicht nach meinen eigenen Ambitionen standesgemäß auf die Welt gekommen zu sein. Was hatten Sie vorbereitet für die Zeremonie, aus mir einen Mamamouschi zu machen?«

»Einen juwelbesetzten Turban mit Juwelen aus Glas. Einen Krummsäbel, illegal als Opernrequisite erstanden, sowie eine gefälschte Urkunde in Pseudotürkisch«, antwortet Covielle ruhig.

»Das alles würde ich gerne als Andenken behalten und an die Wand hängen.«

»Den Titel Mamamouschi gibt es gar nicht.«

»Wer weiß? Wussten Sie das, bevor Sie ihn erfanden? Die Sachen würden gut zu meinen Alten Meistern passen. Und mich daran erinnern, wer ich wirklich bin und wer ich früher einmal sein wollte ... sein ... oder nicht sein ... Ha! Dichtung! Sein ... oder Nichtsein ...« (Seine Züge hellen sich auf:) »Den Satz hab' ich doch schon einmal gehört ... Gewiss ... Molière!«

Die Geschöpfe des Prometheus

von Ludwig van Beethoven
Text von Peter Ustinov
Deutsch von Manfred Jansen

Kein anderer als der vorzügliche Schweizer Dirigent Karl Anton Rickenbacher, der schon den „Bürger als Edelmann" dirigierte, machte mich auf Beethovens geheimnisvolle Partitur der „Geschöpfe des Prometheus" aufmerksam. Die herrliche Musik ist rund und kraftvoll, wird aber leider nur selten aufgeführt, weil das Libretto der ursprünglichen Choreografie verloren gegangen ist und niemand weiß, was denn nun die vielen Einzelsätze musikalisch untermalen. Eines fällt auf: Das Finale ähnelt sehr dem letzten Satz der Eroica. Den nachstehenden Text schrieb ich, in aller Bescheidenheit, aber ohne jeglichen Minderwertigkeitskomplex, um der Musik einen Existenzgrund zu verschaffen. Den Text habe ich, auf Deutsch, mit der Litauischen Kammerphilharmonie in bislang sieben öffentlichen Konzerten selbst gesprochen; weitere Aufführungen sind beabsichtigt.

Ouvertüre

Wenn ich behaupte, ich sei Prometheus, würden Sie mir wohl nicht so ohne weiteres glauben. Das einzige Bild, das ich von ihm – also von Prometheus – gesehen habe, zeigt ihn halb nackt, an einen Felsen gekettet, während ein Adler an seiner Leber nagt. An ein solches Ereignis kann ich mich aber überhaupt nicht erinnern. Wenn es sich dennoch wirklich so abgespielt hat, glaube ich nicht, dass ich es so leicht vergessen hätte ... obwohl ... komisch ... *(er weist auf seine Leber)* Kurzum, ich bin nicht Prometheus. Aber früher einmal könnte ich durchaus Prometheus gewesen sein. Wissen Sie, seit ich das erste Mal mit einem freundlichen Dinosaurierküken gespielt habe, bin ich über eine Million Mal wieder geboren worden und einmal weniger gestorben.

Nun erinnere ich mich zwar nicht mehr an die Sache mit meiner Leber, aber irgendwie ist mir der Name Isosceles im Gedächtnis geblieben, der mich mit seinem verflixten gleichschenkligen Dreieck zu

Tode gelangweilt hat, und auch dieser Pythagoras mit seinen unsäglichen Abstraktionen sowie Hippokrates, der ständig den gleichen Eid mit tödlichem Ernst vor sich hin plapperte. Das waren brillante Köpfe, aber auch Langweiler; sah ich doch mit aller Deutlichkeit, welchen Weg die Menschheit einschlagen würde – sich nämlich das gesamte Wissen unter den Nagel reißen und dann das ganze Universum erobern. Genau wie die Götter, nicht wahr? Nur mit dem Unterschied, dass der Mensch, weil er ja sterblich ist und unter Naturkatastrophen und Kriegen zu leiden hat, viel einfallsreicher zu Werke gehen musste als die Götter, die alles als selbstverständlich betrachten und sich deshalb keine Gedanken mehr machen müssen. Wenn alle Geheimnisse enträtselt sind und die Sterblichen in Allwissenheit schwelgen, welchen Sinn haben dann noch die Künste, Musik, Tanz, das gesprochene Wort, also all die Dinge, die das Leben lebenswert machen? In einer Welt ohne Fragezeichen, was bleibt anderes übrig als der Schlusspunkt? (*dramatisch*) Deshalb habe ich den Olymp überfallen, um das Heilige Feuer zu stehlen, ehe es zu

148

spät war! Die Angst eines Diebes in den ersten Augenblicken – dann die heimliche Arbeit des Stehlens an sich, und schließlich die Flucht durch stille und leere Säle ...

Introduktion
Allegro non troppo

Das Problem mit dem Diebstahl besteht darin, dass ein Amateur wie ich sich nie im Voraus überlegt, was er mit der Beute am besten anfängt. Wo könnte ein Sterblicher das Heilige Feuer besser aufbewahren als am eigenen Herd – aber im Hochsommer? Ich will ganz ehrlich sein: Ich habe die Fähigkeiten des Heiligen Feuers überschätzt. Das ganze Abenteuer ist mir zu Kopf gestiegen. Ich habe mich an der Schöpfung versucht. Die Schaffung eines neuen Mannes. Das war schon schwierig genug. Aber, eine neue Frau? Wie soll bloß ein Einzelner solch ein Phänomen zu Wege bringen? Ein Ding der Unmöglichkeit. Meine Schöpfungen – oder besser meine Kreaturen – waren ein Fehlschlag. Nicht menschlicher als Puppen, leblos wie Steinplastiken. Jämmerlich. Sie waren nach

Kräften bemüht, den Einfluss des Heiligen Feuers dadurch nachzuahmen, dass sie scheinbar auf glühenden Kohlen tanzten ...

Nr. 1 Poco Adagio

Ich habe alles versucht; ich wollte die Männer dazu bringen, die Frauen zu verführen, doch leider ohne Erfolg. Ihre Augen blieben glasig und sie selbst empfindungslos. Doch dann, nach dem Zeitgefühl der Sterblichen etwa eine Woche später, fiel den Behörden auf dem Olymp natürlich auf, dass das Heilige Feuer abhanden gekommen war.

Wie mir später zu Ohren gekommen ist, hat Zeus seine Sicht der Dinge dem Rat der Hauptgötter folgendermaßen verdeutlicht:

»Es spielt keine große Rolle, dass das Heilige Feuer entwendet worden ist – immerhin kann ich jederzeit Ersatz herbeischaffen. Wirklich beunruhigend ist dagegen die Tatsache, dass ein derartiger Diebstahl überhaupt möglich ist, noch dazu von einem Sterblichen begangen. Für uns ist die Welt doch nichts weiter als ein Bordell, bestenfalls ein Spielkasino, wo es gilt, uns die entsetzliche Langeweile, die im Olymp herrscht, zu vertreiben. Doch dass uns hier oben Sterbliche bestehlen, das geht dann doch zu weit, schließlich ist das Klima bei uns für jede Abwechslung ungeeignet. Der Übeltäter muss bestraft werden.«

Ich zertrümmerte meine Geschöpfe, um vor meiner Verhaftung sämtliche Beweise gegen mich verschwinden zu lassen. Wenigstens das klappte. Die Kreaturen gaben ihren wie auch immer gearteten Geist auf, und zurück blieb das Flackern des Feuers auf der verbrannten Erde.

Nr. 2 Adagio – Allegro con brio

Ich wurde gefangen genommen und in Ketten auf den Gipfel des Olymp geschleppt. Natürlich fürchtete ich mich vor dem Zusammentreffen mit Zeus. Ich hatte oft genug zu ihm gebetet, da ich ein überzeugter Anhänger der Methode bin, dem Amtsschimmel ein Schnippchen zu schlagen, indem ich mich direkt an den obersten Chef wende. Doch klare Antworten habe ich nie bekommen. Meine Befürchtungen erwiesen sich aber als haltlos. Gleich zu Beginn beglückwünschte Zeus mich zu meiner Leistung.

»Ich hätte nie gedacht, dass so etwas möglich ist«, sagte er und schüttelte mir die Hand. »Doch raus mit der Sprache, warum hast du das getan?«

Ich erläuterte meine Bedenken hinsichtlich der Unfehlbarkeit des Menschengeschlechts. »Sie werden die Götter nachahmen, und weil sie tüchtiger sind, werden sie auf allen Gebieten erfolgreicher sein . . .«

»Auf denen wir scheitern?« fragte Zeus ungehalten.

»Wo für Euch kein zwingender Grund besteht, Erfolg zu haben, denn Unfehlbarkeit ist für Euch ja der Normalzustand«, warf ich ein.

Zeus lächelte grimmig. »Achilles hatte eine Ferse«, sagte er unvermittelt.

»Eine verletzliche.«

»Genau. Willst du sagen, dass unsere Achillesferse die Tatsache ist, dass wir alles wissen?«

»Ihr wisst alles, ohne dass Ihr es auch begreifen müsst. Ist das nun eine Stärke oder etwa eine Schwäche?«

»Wegen deiner Hellsicht verdienst du

einen Blitzstrahl, genau hier unterhalb der Rippen«, brummte Zeus gutmütig.

»Ich habe nichts anderes erwartet.«

»Nun, der Rat der Hauptgötter hat eine Strafe über dich verhängt. Das ließ sich leider nicht vermeiden. Du wirst irgendwo hoch oben im Gebirge an einen Felsen gekettet, und dann wird dir ein Bergadler dreimal die Leber herausreißen.«

Bei dieser lakonischen Ankündigung fiel ich automatisch auf die Knie.

Zeus, überrascht: »Warum solche Angst?«

»Tja, der Mensch besitzt bloß eine Leber. Wenn die weg ist, hat es sich ausgelebt. Das ist ein Todesurteil.«

»Todesurteil? Keineswegs«, erwiderte Zeus, »ich vergaß zu erwähnen, dass deine Leber jede Nacht wieder nachwachsen wird. Das Ganze ist zwar etwas lästig, wird dir aber kaum Schmerzen bereiten, weil ich der fragliche Adler bin.«

»Du?«

»Ja. Also, ich möchte dich bitten, den gleichen Fehler nicht noch mal zu machen, sondern dir vorher zu überlegen, was du mit dem Feuer anstellst, jetzt, da du es hast.«

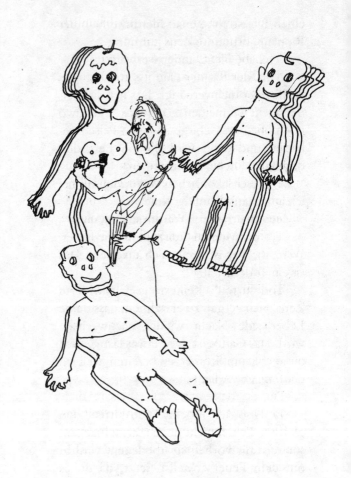

»Lebende Wesen zu schaffen hat mich eindeutig überfordert.«

»Ich weiß deine Bescheidenheit zu schätzen. Das Feuer war nie dazu gedacht, irgendetwas zu schaffen.«

»Woher sollte ich das wissen?«

»Solltest du ja gar nicht. Darf ich dir einen Vorschlag machen?«

»Ich glaube nicht, dass du meine Zustimmung brauchst, wenn du etwas sagen willst.«

»Jetzt folge ich deinem Beispiel. Mit Bescheidenheit habe ich es bislang noch nie versucht. Ein angenehmes Gefühl. Warm – und menschlich, wenn ich mich so ausdrücken darf.«

»Was schlägst du also vor . . . Chef?«

»Versteck das Feuer in der menschlichen Vorstellungskraft. Von dort kann es nicht mehr zurückgeholt werden. Kein Gott wird es dort jemals finden.«

»Aber wie soll ich das anstellen?«

»Das überlass ruhig mir. Bereite dich jetzt auf deine Strafe vor. Wenn du mir das nächste Mal begegnest, habe ich einen heimtückischen Schnabel und trage ein Federkleid.«

Nr. 3 Allegro vivace

Wie Zeus versprochen hatte, erwies sich die Strafe als mild. Der Adler führte sich eher wie ein Kanarienvogel auf, pickte mir die Leber heraus und flog damit davon. Nachdem sich das Publikum in alle Winde zerstreut hatte, kam er im Schutz der Dunkelheit zurück und setzte sie auf das Sorgfältigste wieder ein. Es blieb beinahe keine Narbe zurück. Nach Beendigung der Prozedur befreite mich der Vogel von meinen Ketten.

»Geht es dir gut?« fragte er mich mit der Simme von Zeus.

»Mich friert ein bisschen«, erinnere ich mich gesagt zu haben, »und ich war überrascht, hier oben Publikum vorzufinden, ganz zu schweigen davon, dass ich auch noch schauspielern musste, wie am Spieß brüllen und so tun, als würde ich Höllenqualen leiden.«

»Hab' ich vergessen, dir das zu sagen?« fragte der Vogel. »Diese blutrünstigen Elemente unter den Sterblichen, die sich an Hinrichtungen, Auspeitschungen, Stockhieben und Ähnlichem ergötzen, fehlen bei solchen Anlässen nie. Wir haben versucht sie abzuwimmeln, indem wir derartige Veranstaltungen so nah wie möglich an den Gipfel des Olymp legten, doch diese Leute scheuen kein Risiko, um ihre Sensationsgier zu befriedigen. Vielleicht interessiert dich die Tatsache, dass dreiundzwanzig von ihnen auf der Suche nach besseren Plätzen in den Tod stürzten, und zwar am ersten Abend, am zweiten waren es nur neunzehn – da hatte es geregnet – und einundvierzig bei der letzten Vorstellung.«

»Wussten die denn, was sie erwartete?«

»Mundpropaganda ist in solchen Kreisen das Verständigungsmittel schlechthin.«

»Die wussten also, dass mir die Leber mehrmals herausgerissen werden würde?«

»Oh ja!«

»Warum kam dann überhaupt jemand zur zweiten und dritten Vorstellung?«

»Sensationslüsterne Zeitgenossen beschäftigen sich nicht mit solchen Einzelheiten. Sie wissen nur, dass es nach der Premiere leichter ist, einen Platz zu bekommen. Aber lassen wir das. Die sind alle nach Hause, außer den dreiundachtzig Leichen, die jetzt in der Schlucht verrotten.

Komm mit auf dem Olymp, nicht als Dieb, sondern als mein Gast. Komm mit ins Sanatorium der Götter. Nur eine Bitte hätte ich: Kein Wort dort oben, dass du ein Sterblicher bist. Wir sind alle furchtbare Snobs.«

»Wenn ihr alle Snobs seid, kann es euch doch gar nicht auffallen!«

»Nicht geistreicher sein als unbedingt nötig, mein Junge. Das würde dich verraten.«

Nr. 4 Maestoso.
Andante

»Wer sind die Tänzer?« fragte ich Zeus, der wieder er selbst war.

»Die Götter, die frei haben. Dort drüben, ganz in Gold und Silber – du musst die Hand vor die Augen halten, wenn du ihn anschauen willst –, das ist Apollo, die Sonne. Er hatte vorgestern frei, wie du weißt. Es hatte geregnet. Heute muss es auch wieder regnen, sonst wäre er nicht hier. Oh, Apollo!«

Apollo kam zu uns herüber. »Danke, dass du mich gerufen hast. Dieser Tanz hängt mir zum Hals heraus, ewig die gleichen

160

Schritte. Nichts Neues. Wer ist dieser junge Mann? Endlich etwas Neues!«

»Einer meiner Söhne.«

»Noch einer? Du Schwerenöter... in deinem Alter!«

»Ich kann doch Juno nicht die *ganze* Arbeit überlassen.«

Die Götter freuten sich über den Witz.

Nachdem Apollo widerwillig zu den Tänzern zurückgegangen war, meinte Zeus zu mir: »Nun?«

»Also ich glaube, hier oben würde ich durchdrehen.«

»Ja, hier oben gibt es die Zeit nicht. Man sagt, die ersten fünfzig Jahrhunderte seien die schwierigsten.«

Nr. 5 *Adagio*

»Wer hat diese Musik geschrieben?«

Zeus versuchte zu erklären. »Ich bin mit der Lyra und der Pan-Flöte aufgewachsen. Eine, bestenfalls zwei Stimmen unisono. Und heute bei jeder Gelegenheit diese kraftvolle Musik. Das ist fast zu viel des Guten für mich.«

Das war keine Antwort auf meine Frage.

Zeus wusste offenbar nicht, wo er anfangen sollte: »Wie gesagt, es gibt hier oben keine Zeit. Das ist einer der Gründe dafür, warum wir uns nicht verändern können. Es gibt uns immer noch, wie du ja siehst, aber wir sind hoffnungslos altmodisch. Bald wirst du den zierlichen Tanz der Grazien hören. An sich recht schön, aber so schmerzhaft wie Hexenschuss.«

»Soll das heißen«, fragte ich, »dass es überall sonst Zeit gibt?«

»Auf der Erde schon. Andere Götter sind entstanden, mit exotischen Namen und eigenen Tricks, von denen viele auf unsere Kosten gehen – und doch waren wir die erste und einzige echt demokratische Religion weit und breit. Ironisch, nicht wahr? Je mehr die Demokratie als weltpolitisches System Fortschritte macht, desto unglaubwürdiger wird sie in der Religion. Heutzutage ist jede Religion eine Autokratie. Ein Gott. Ein Ritual. Ein Credo. Wenn ich das im Olymp vorgeschlagen hätte, wäre längt eine Revolution ausgebrochen. Aber entspann dich, mein Lieber, und lass dich von den Grazien bezaubern, von ihrem Tanz, den sie seit Äonen tanzen, sie, die Hüterin-

nen des Heiligen Feuers, ob du es glaubst
oder nicht.«

Nr. 6 *Un poco Adagio. Allegro*

»Das war schön«, wagte ich nach einer
Pause zu bemerken.

»Hm. Du hast die Musik jetzt zum ersten
Mal gehört«, raunzte Zeus.

»Wie oft hast du sie denn gehört – tag-
täglich?«

»Ich sagte doch schon, Zeit gibt es hier
oben nicht. Manchmal habe ich den Eindruck, als sei sie schon von Anfang an da gewesen, während sie dann wieder verhältnis-
mäßig neu und unverbraucht klingt.«

»Aber du sagtest doch, du seiest mit der
Lyra und der Pan-Flöte groß geworden. Da
war doch nichts, das von der Lautstärke her
der Rede wert gewesen wäre.«

»Das stimmt schon. Aber ob das auch für
dich gelten muss?«

»Das frage ich mich auch . . . weißt du, im
Unterschied zu dir bin ich gestorben, und
wieder geboren worden – immer und immer wieder. Merkwürdigerweise kommt
mir diese Musik nicht völlig unbekannt

vor . . . einzelne Passagen erkenne ich sogar wieder, scheint mir . . .«

Zeus amüsierte sich offenbar darüber. »Das überrascht mich ganz und gar nicht, denn wenn ich mich nicht irre, ist das Stück nach dir benannt.«

»Nach mir?«

»Und wird zuweilen von deinem Heiligen Feuer flüchtig gestreift, für meinen Geschmack allerdings etwas zu viel.«

»Mein Heiliges Feuer? *Unser* Heiliges Feuer.« – »Wenn du darauf bestehst.«

»Das Stück heißt also ›Prometheus‹, ja?«

»›Die Geschöpfe des Prometheus‹, glaube ich.«

Ich war wie vom Donner gerührt. »Die Geschöpfe des Prometheus? Woher wusste der Komponist davon? Die hab' ich doch alle zerstört. Welche Schmach für mich, welch ewige Schande!«

»In der Welt der Sterblichen gibt es keine Geheimnisse«, meinte Zeus ernst.

»Schlimme Gerüchte, die sich als wahr erweisen. Üble Nachreden und heimtückische Verleumdungen, denen Glauben geschenkt wird. Die Sterblichkeit hat ihre Vor- und Nachteile.«

»Aber wie heißt der Komponist?«, rief ich.

Zeus zog ein Pergament aus seinen Gewändern. Das Vorlesen fiel ihm nicht leicht. »Ich hoffe, ich kann das richtig aussprechen«, sagte er. »Es ist kein griechischer Name, und er ist auch nicht in unserem Alphabet geschrieben. Könnte so etwas wie VANBE TOVEN sein.«

»O mon Dieu Seigneur!« rief ich aus.

Nanu? Was war jetzt das? Derlei aus meinem Munde, der ich kein einziges Wort Französisch spreche? Und warum ist eine Schleife in meinem Nacken und ein Spitzentuch um meinen Hals?

Nr. 7 Grave

Jetzt fällt es mir wieder ein! Der Klang des sterblichen Konflikts. Alles das, was Beethoven auf Grund seines revolutionären Temperaments genoss, ohne je die Realität des Krieges am eigenen Leib erfahren zu müssen.

»Kanntest du diesen Herren?« fragte Zeus.

»Später – später ja. Wir hatten unsere

Auseinandersetzungen, verstanden uns aber auch. Es war reiner Zufall, dass wir uns überhaupt kennen lernten. Einmal – wir kannten einander noch nicht – hatten wir gemeinsame revolutionäre Überzeugungen: Er als schöpferischer Künstler mit seinem unstillbaren Durst nach Freiheit als abstraktem Ideal und ich als junger Franzose, den der muffige Gestank der Monarchie auf die Palme brachte. Beide bejubelten wir den Auftritt eines jungen korsischen Offiziers namens Napoleone Buonaparte, der als Hoffnungsschimmer am Horizont all dessen auftauchte, was alt und verbraucht und zum Sterben verurteilt war.«

»Wie hieß der Bursche gleich wieder?«

»Napoleone Buonaparte, besser bekannt als Napoleon.«

»Nie von ihm gehört«, bemerkte Zeus aufgeräumt.

»Nie von ihm gehört? Nun, eine Zeit lang war er die Hoffnung Europas, dann überzog er den Kontinent mit Terror. Und schließlich erteilte er ihm eine Lektion, die leider viel zu schnell vergessen wurde. Kaum zu glauben, dass es eine solche berühmte Persönlichkeit auf Erden gibt, und du kennst noch nicht mal ihren Namen!«

»Aber ich sage dir doch, hier oben herrscht die totale Bewegungslosigkeit. Seit es diese alternativen Religionen gibt, erhalten wir keine Neuigkeiten mehr – nicht einmal Klatsch und Tratsch dringen zu uns durch.«

»Welche Informationsquellen hattet ihr denn früher?«

»Das Gebet. Wir wussten, was die Menschen wollten, wenn sie zu uns beteten. Seit Jahrhunderten hat niemand mehr zu uns gebetet.«

»Wie deprimierend«, sagte ich voller Mitgefühl, versuchte dann aber erneut mein Glück: »Doch wie kommt es, dass du noch nie etwas von Napoleon gehört hast, von Beethoven aber schon?«

»Ah! Vanbe Toven war einer der wenigen, der – oder lebt er noch? ...«

»Nein.«

» ... der gelegentlich unsere Gegenwart bemerkte, indem er uns wenigstens schmähte. Das war wie ein frischer Luftzug.«

»Wie hat er das denn angestellt?«

»Weißt du, eigentlich war er ein sehr frommer Mann – keine Missa war Solemnis genug für ihn –, ein Konformist, einer der wusste, wo sein Platz in der Gesellschaft war und jener der Hochwohlgeborenen . . . Doch gelegentlich kam seine wahre Natur durch – er war zornig mit seinem Gott, weil dieser nicht so recht auf seine Gebete reagierte –, doch er scheute sich, den Gott, auf den er in der Regel vertraute, zu beleidigen, also beließ er es bei der geballten Faust und einigen Flüchen gegen die Götter . . . wohlgemerkt, *die* Götter! Ich kann dir gar nicht sagen, was für ein Vergnügen uns das bereitet hat! Das war Beweis genug für unsere Existenz. So weit, so gut, ich muss mir jetzt die Ohren zustöpseln, bevor die Musik wieder einsetzt. Ich weiß, was jetzt kommt. Vanbe Toven in aufsässiger, aggressiver Laune. Leider muss ich mich zu meinem eigenen Besten seinen Bemühungen verschließen.«

»Es fällt mir wieder ein, ja«, flüsterte ich und erweckte damit das Interesse von Zeus. »Der Schrecken des Krieges«, fuhr ich fort. Dann, fast in vorwurfsvollem Ton, den ich kaum unterdrücken konnte, sagte ich: »Du hast keine Ahnung vom Krieg, trotz deiner Helden und ihrer Zweikämpfe, trotz des Pfeilhagels und deiner lächerlichen Schwertfechtereien.«

»Klär mich auf«, bat Zeus.

Nr. 8 Allegro con brio

»Das war extrem laut«, rief Zeus, »und solltest du mir soeben etwas über den Krieg erzählt haben – ich konnte leider kein Wort verstehen.«

»Krieg ist das Antidot zum Gespräch«, erklärte ich, »damals glaubte ich daran, als geeignetes Mittel zur Lösung aller menschlichen Probleme. Napoleon war das Vorbild für die Jugend, und ich war ein leichtgläubiger Schüler, brüllte Befehle und mähte alle um mich herum nieder. Geredet habe ich damals eigentlich nicht viel. Es gab auch nicht viel, worüber man hätte reden können.«

»Was ist mit dem Heiligen Feuer passiert?« fragte Zeus ruhig.

»Ich . . . ich hab' es völlig vergessen.«

»Du solltest dich schämen . . . wenn ich das sagen darf. Nach all der Mühe, die du dir gemacht hast, es zu rauben und meine Hilfe zu gewinnen.«

»Ich hab' es ja wieder gefunden . . . fast.«

»Wo?«

»In der Schlacht von Solferino.«

»Nie davon gehört.«

Man hat mir das Pferd unterm Hintern weggeschossen, kurz nachdem ich einen österreichischen Soldaten zu Fall gebracht hatte. Ich wollte ihm gerade das Bajonett ins Herz rammen, da spürte ich die Spitze eines Spazierstocks. Ich wandte den Blick von dem Mann am Boden, dessen Augen um Gnade flehten, und schaute dem Mann mit dem Spazierstock in die Augen; ein Zivilist, der mich mit einem derart gebieterischen Blick fixierte, dass ich von meiner Absicht zurückschreckte. Bis zum heutigen Tag vermag ich seinen Gesichtsausdruck nicht zu vergessen: eine Mischung aus Abscheu und scharfer Missbilligung.

Ein plötzlicher stechender Schmerz unterhalb meiner Rippen ließ mich hochfahren. Als würde ich einer Gästerunde meine Behausung zeigen, sah ich das Schlachtfeld plötzlich mit seinen Augen: das Wimmern

170

der verletzten Pferde, die Schreie der sterbenden Soldaten, der Gestank von Tod und Verwesung, das Herumirren von Verletzten, die vom Tod gezeichnet waren – alles das hatte ich einfach so hingenommen. Der Zivilist machte kehrt und ließ mich mit dem Österreicher allein.

Ich kniete an seiner Seite nieder und sagte zu ihm: »Wir warten, bis es Nacht wird, dann entscheiden wir, was zu tun ist. Bis dann sind wir tot.«

»Aber ich lebe noch«, sagte er, »dank dir.«

»Mal sehen«, erwiderte ich und fiel in einen tiefen Schlaf, während die Schlacht um uns herum weitertobte.

Nr. 9 Adagio

Nachdem alles vorbei war, entdeckten wir ein Pferd, das seinen Herrn überlebt hatte. Im Schutze der Nacht ließen wir unsere jeweilige Einheit zurück und desertierten.

Der Österreicher, dankbar, dass ich ihm das Leben gerettet hatte, lud mich in das Haus seiner Eltern nach Wien ein. Auf unserer Reise durch die norditalienische

Tiefebene und über die Alpen entgingen wir immer wieder knapp einer Verhaftung, indem wir nur nachts unterwegs waren und tagsüber schliefen. Wir entledigten uns aller Dinge, die auf unsere Vergangenheit als Soldaten hinwiesen, wobei ich einem italienischen Bauern meinen Säbel und die Federn meines Tschakos an ein Geschäft für Damenkurzwaren in Bozen verkaufte.

Als wir schließlich zu Fuß Wien erreichten, sahen wir zwar wie zwei Landstreicher aus, waren uns aber mittlerweile so vertraut, als wären wir Brüder. Seine Familie erkannte ihn kaum wieder, herzte und küsste ihn dann aber trotz seines heruntergekommenen Aussehens. Als sie erfuhren, dass ich ihm das Leben gerettet hatte, brachten sie mir so etwas wie Ehrfurcht entgegen.

»Das war doch selbstverständlich«, erklärte ich, ohne den Fremden mit den magnetischen Augen zu erwähnen.

»Selbstverständlich?« entgegnete Herr Schimmernick, der Vater meines Freundes. »Das wage ich zu bezweifeln. Heutzutage gibt es nicht viele, die unabhängig denken. Das an sich ist schon außergewöhnlich.«

Mir war nicht entgangen, dass die hübsche Tochter des Hauses mich anlächelte, und zwar nicht nur aus reiner Dankbarkeit.

Nr. 10 Pastorale. Allegro

Während eines langen Aufenthalts benachrichtigten die österreichischen Behörden die Familie, dass ihr Sohn als vermisst galt und wahrscheinlich sein Leben in der Schlacht verloren hatte. Die Familie spielte ihre Rolle perfekt. Wir erkannten, dass von nun an höchste Besonnenheit geboten war, also verließ ich das Haus nur noch in Begleitung von Familienmitgliedern, zu denen stets auch Lili, die Schwester meines Freundes, gehörte.

Ich war aufs Äußerste darauf bedacht, kein Wort Französisch zu sprechen. Sollte ich doch enttarnt werden, würde ich mich als albanischer Flüchtling ausgeben. Im Vergleich zum restlichen Europa herrschte damals auf dem Balkan fast Grabesruhe. Doch um die Wahrheit zu sagen, ich ging nur selten aus, da Lili und ich jede Menge Gesprächsstoff hatten und ... uns sehr füreinander interessierten.

Vom Fenster meines Dachbodenzimmers aus blickte ich auf ein anderes Fenster, keine fünf Meter entfernt. Es stand Tag und Nacht offen. Während einer Pause zwischen meinen Liebeserklärungen brachte ich einmal das Gespräch darauf.

»Ah«, seufzte sie, »mein Vater hat das Zimmer vermietet, aber der Untermieter ist selten da. Manche halten ihn für spinnert, andere für einen Exzentriker, wieder andere für ein Genie. Er hat viele solcher Zimmer in ganz Wien angemietet, weiß Gott wozu.«

»Wenn das Fenster immer offen ist, woher weißt du, wann er da ist?«

Lili lachte. »Das ist nicht zu überhören. Laute und moderne Musik dringt dann nämlich aus dem Fenster, wenn er sein Hammerklavier malträtiert. Er weigert sich, seine Miete zu bezahlen und hält das Privileg, seiner Musik lauschen zu dürfen, für ausreichend.«

Ich weiß noch, dass ich ihr bezauberndes Lächeln mit einem ebensolchen erwiderte.

»Und wie heißt diese Anarchist?« wollte ich wissen.

»Herr van Beethoven.«

Ein Schmerz fuhr mir plötzlich durch den Körper, dicht unterhalb des Brustkorbs, wie immer, wenn ich mich nahe am Heiligen Feuer befand.

Es war ein herrlicher Sommertag, zu schön, um ihn zu Hause zu verbringen. Unsere Familiengruppe veranstaltete ein Picknick an den Ufern der Donau und hatte alle Vorsicht über Bord geworfen. Angesichts der drückenden Hitze vergnügten wir uns ohne falsche Scham im Fluss. Plötzlich spürte ich, wie sich der Blick meines Freundes auf meine Brust heftete.

»Was starrst du mich so an?« fragte ich.

»Diese Narbe. Für eine Blinddarmnarbe viel zu hoch. Sie geht um die ganze Leber herum. Und sie ist rot und entzündet.«

Sie tat mir weh, und ich merkte sofort, dass Zeus dabei war, mir eine Botschaft zukommen zu lassen. Genau in diesem Augenblick sprengte ein Trupp französischer Späher aus dem Wald, die Pferde dampfend und mit Scham vor dem Maul. Es folgte eine Schwadron Kosaken auf ihren mageren Ponys, deren Gewieher die Luft erfüllte. Säbel wurden gekreuzt, und wir konnten die Funken sprühen sehen. Wir flohen ins Wasser und verfolgten das Geschehen von dort. Im Nu war es vorbei, dieses unglückliche Gefecht. Ein Kosake lag stöhnend auf der Erde, einer der Franzosen hatte seinen letzten Seufzer schon getan. Auch eines der Ponys lag wimmernd niedergestreckt. Ein Pferd ohne Reiter wusste vor Schreck nicht wohin oder was tun.

Im Bruchteil einer Sekunde hatte ich, mit der Hilfe von Zeus, begriffen. In der Antike glaubten Isosceles, Pythagoras, Hippokrates und die anderen großen Denker, dass sie den Weg zur Allwissenschaft fast schon zur Hälfte zurückgelegt hätten. Doch seither hat jede Tür, die sie öffneten, den Weg auf weitere Türen frei gegeben, die noch verschlossen sind. Und heute, wo wir schon viel verstanden haben, sind wir noch viel weiter von der Allwissenschaft entfernt, als sie es damals gedacht haben. Die Gefahr, dass der Mensch irgendwann alles wissen wird oder dass der Zweifel – mit anderen Worten die Kreativität – aussterben könnte, ist gering. Nicht das Streben, den letzten Horizont zu erreichen, ist die wirkliche Gefahr, sondern die böswilligen Feinde des Heiligen Feuers sind es, weil sie versuchen, es durch Krieg zu zerstören. Wie leicht hätten die Soldaten in Ausübung ihrer schäbigen Pflicht dieses Scharmützel bis ans Ufer tragen und eine unschuldige Familie auslöschen können, die eigentlich nur baden wollte.

Ich wurde mir meiner früheren Existenz als ehrgeiziger Soldat der napoleonischen Armee bewusst, schloss die Augen und erschauerte. Der Feind heißt nicht Fortschritt, sondern Dünkelhaftigkeit, das inhumane Verhalten des Menschen gegenüber seinesgleichen und letztendlich, haarsträubende Dummheit.

Nr. 11 Andante
Nr. 12 Maestoso

Ich heiratete Lili und bereitete mich auf ein glückliches Leben und die ewige Hoffnung auf Frieden vor. Sie war eine gläubige Katholikin und von frommer Gesinnung. Um unser harmonisches Verhältnis nicht zu gefährden, tat ich so, als würde ich ihren Glauben teilen, und behielt es stets für mich, sogar beim Beichten, dass ich atheistisch erzogen worden war und im revolutionären Frankreich, ganz zu schweigen von meiner Beziehung zu Zeus.

Während meine Frau neben dem Bett kniete und ruhig Zwiesprache mit Gott hielt, kniete ich ihr gegenüber und bat Zeus darum, er möge doch meine Schmerzen an der Narbe um die Leber lindern.

»Ich hab' mich doch erinnert . . .«, flehte ich laut.

»Mit wem sprichst du denn?« fragte Lili sanft.

»Mit Gott«, sagte ich. »Zumindest – mit einem von ihnen.«

Lili lächelte verwirrt.

Nr. 13 Allegro

Am nächsten Tag hörte ich ihn spielen. Das Fenster war wie gewöhnlich weit geöffnet. Beethoven war, kapriziös wie immer, in einer Stimmung äußerster Gelassenheit. Er komponierte an einem Satz von zartester Schönheit.

»War das Prometheus?« fragte ich mich.

Von meinem Wohltäter, Herrn Schimmernick, wollte ich wissen, wie viel Miete denn der Musikus zu zahlen hätte. Herr Schimmernick wich mir aus.

»Nun, jedenfalls scheint er im Rückstand zu sein, nicht wahr?« fragte ich.

Schimmernick zuckte mit den Schultern. »Es heißt, er sei ein Genie, obwohl ich das nicht ganz nachvollziehen kann.«

Ich wollte mich gerne erkenntlich zeigen für die vielen Gefälligkeiten, die mir zuteil geworden waren, und erbot mich, den ausstehenden Mietzins von dem großen Künstler einzutreiben. Da ich einfach dem Klang der Musik folgte, fand ich sein Zimmer mühelos.

Nr. 14 Andante

Ich klopfte an. Keine Reaktion. Ich trat ein.

Beethoven war überrascht, hörte auf zu spielen und brüllte, ich solle mich zum Teufel scheren.

Zu seinem Erstaunen blieb ich hartnäckig stehen. »Mes compliments, Maître, mais je ne me retirerai pas.« Zum ersten Mal seit meiner Ankunft in Wien wagte ich es wieder, Französisch zu sprechen.

181

Er runzelte die Stirn. »Monsieur est français?«

Urplötzlich und ganz unverblümt brachte er seine Bewunderung für ein Volk zum Ausdruck, das es gewagt hatte, sich der Revolution zu verschreiben, während die anderen nur geduldig darauf gewartet hatten, dass sich etwas ändert.

»Die haben sich getraut, die Ordnung der Dinge auf den Kopf zu stellen, gekrönte Häupter und aristokratische Köpfe in den Korb plumpsen zu lassen und eine Volksregierung zu etablieren! Das nenne ich echte Abwechslung im alten Europa!«

»Ein paar Wochen lang«, warf ich ein,

»war das durchaus so, doch glauben Sie mir, so bleibt es nicht. Ein gekröntes Haupt ersetzt das andere, und die einfachen Leute dürfen für beide den Kopf hinhalten.«

Ich erzählte ihm von meinem Erlebnis auf dem Schlachtfeld und dem geheimnisvollen Zivilisten, dessen Spazierstock einen Augenblick lang mehr Macht als das Bajonett gehabt hatte. Und ich berichtete von meiner Sucht nach Frieden, nachdem ich die widerwärtigen Schrecken des Krieges und seine Willkür erlebt hatte.

Beethoven geriet ins Grübeln. »Frieden. Frieden ist die höchste Hoffnung aller rechtschaffenen Zeitgenossen. Empfänglich für Ausgewogenheit und den Stand der Gnade. Aber mittlerweile ist aus Napoleon Bonaparte ein junger Mann ganz nach meinem Geschmack geworden, ein echter Sohn der Revolution, der Erste Konsul Ihrer großen Nation. Da sehen Sie, ich habe ihm sogar meine dritte Symphonie, die Eroica, gewidmet. Gestatten Sie mir wenigstens, selbst zu entscheiden, wem ich meine Werke widme!«

Ich war so entgeistert, dass ich völlig vergaß, ihn auf die Miete anzusprechen.

Nr. 15 Andantino. Adagio

Und dann kam, was kommen musste: Wie ein Lauffeuer verbreitete sich die Nachricht in den Hauptstädten ganz Europas – Wien machte da keine Ausnahme. Napoleon entriss dem Papst die Krone und machte sich selbst zum Kaiser. Hatte ich es nicht gesagt? Ein gekröntes Haupt ersetzt das andere, und die einfachen Leute dürfen für beide den Kopf hinhalten.

Ich klopfte an Beethovens Tür. Diesmal rief er: »Herein!«

Er war in äußerst merkwürdiger Stimmung und lächelte grimmig vor sich hin, ohne ein Wort zu sagen. Schließlich fasste er sich und meinte: »Ich werde Ihnen nicht nur die Genugtuung erweisen, Ihnen zu sagen, dass Sie Recht hatten, sondern Ihrem Triumph eine Ehre der besonderen Art zuteil werden lassen.«

Gesagt, getan. Er riss die Widmung aus dem Manuskript der Eroica heraus und ersetzte sie in einer typisch nervösen und ungeduldigen Handschrift durch eine neue, wobei er auf dem Papier herumkratzte wie eine Katze, die auf sich aufmerksam machen will.

Ich konnte nicht entziffern, was er da geschrieben hatte, so dass er es mir vorlesen musste.

»Zur Erinnerung an einen großen Mann«, sagte er. »Doch das ist noch nicht alles!« rief er plötzlich. »Ich wusste nicht, wie ich meine Eroica zu Ende bringen sollte. Alles schien zu steif, zu unterwürfig und zu unkritisch, als dass es von mir hätte sein können. Jetzt hat das Werk ein anderes Wesen angenommen; ich werde etwas aus meinem Ballett Prometheus einfließen lassen. Sie haben den Namen schon mal gehört? Sie wissen doch, wer Prometheus war?«

»Ich weiß nur zu gut, wer Prometheus war«, entgegnete ich trocken.

»Also lass' ich die Geschöpfe des Prometheus auf dem Grab des Napoleonischen Ruhmes tanzen, um dem Mann, der solche Größe hätte erreichen können, meine Verachtung zu zeigen.«

Meine Geschöpfe – der größte Flop meiner vielen Leben – auf dem Grab von Napoleons Ruhm tanzend? Das ist in der Tat große Kunst!

»Ich muss Ihnen für diese Inspiration

danken«, unterbrach Beethoven meine Träumerei.

»Danken Sie nicht mir, sondern den Göttern«, schlug ich vor.

»Wieso denn den Göttern?« fragte Beethoven.

Der Meister schien in diesem Augenblick in der richtigen Verfassung zu sein, um ihn im Namen des schüchternen Herrn Schimmernick nach der ausstehenden Miete zu fragen. Er war derart überrascht, dass er seine Schuld auf Heller und Pfennig beglich und das Geld aufs Klavier zählte. Der plötzliche Schmerz in meiner Leber war erträglich, ja mir fast willkommen.

Sonst kann ich mich an beinahe nichts mehr erinnern und an so gut wie nichts, was die weniger abenteuerlichen Leben angeht, die ich inzwischen absolviert hatte. Ich werde nie wissen, wer der Zivilist auf dem Schlachtfeld war. Vielleicht handelte es sich um den ersten Geburtsschrei des menschlichen Gewissens, des Mitgefühls. Und dazu bedurfte es des Heiligen Feuers ...

Diverse Ärzte und andere medizinische Kapazitäten haben meine Narbe untersucht, hatten aber nur groteske Theorien dazu.

Selbstredend könnte ich meine ganze Geschichte frei erfunden haben. Wenn das so wäre, so rechne man mir wenigstens einen Funken des Heiligen Feuers dafür an, dass sie mir überhaupt eingefallen ist. Natürlich nur – ich wiederhole es – wenn es nicht die Wahrheit ist!

Nr. 16 Finale. Allegretto